Cartas
de um
antagonista

Mario Sabino

—

Cartas de um antagonista

—

Jornalismo na
selva selvagem brasileira

1ª edição

EDITORA RECORD
RIO DE JANEIRO • SÃO PAULO
2016

CIP-BRASIL. CATALOGAÇÃO NA PUBLICAÇÃO
SINDICATO NACIONAL DOS EDITORES DE LIVROS, RJ

S121c Sabino, Mario
Cartas de um antagonista: jornalismo na selva selvagem brasileira / Mario Sabino. – 1. ed. – Rio de Janeiro: Record, 2016.

ISBN 978-85-01-10817-3

1. Crônica brasileira. 2. Política. I. Título.

16-35960

CDD: 869.8
CDU: 821.134.3(81)-8

Copyright © Mario Sabino, 2016

Editoração eletrônica: Abreu's System

Todos os direitos reservados. Proibida a reprodução, armazenamento ou transmissão de partes deste livro, através de quaisquer meios, sem prévia autorização por escrito.

Texto revisado segundo o novo Acordo Ortográfico da Língua Portuguesa.
Direitos exclusivos desta edição reservados pela
EDITORA RECORD LTDA.
Rua Argentina, 171 – Rio de Janeiro, RJ – 20921-380 – Tel.: (21) 2585-2000.

Impresso no Brasil

ISBN 978-85-01-10817-3

Seja um leitor preferencial Record.
Cadastre-se em www.record.com.br
e receba informações sobre nossos
lançamentos e nossas promoções.

Atendimento e venda direta ao leitor:
mdireto@record.com.br ou (21) 2585-2002.

Para Helena e Diogo

Sumário

Prefácio 11

Primeira Parte
De Volta

PT: a democracia como valor monetário 15
O foro privilegiado de Lula 17
O PSDB e a ética da responsabilidade 19
Dilma poderá revelar o que somos 21
Quem é o golpista? 23
Uma estátua de Lula em cada cidade do país 25
Os prazos da política e o mundo real 27
Política não é o fim.. 29
Vamos nos livrar da Petrobras 31
Estamos perdidos 33
Romero Jucá e a Guerra dos Trinta Anos.......................... 35
Não se deixe levar pela confusão do noticiário 37
Você não precisa escolher motocicletas 39

Os estrangeiros sabem que você recebeu a mensagem	41
Os políticos são o nosso retrato	43
Sobre o meu avô, o Estado e o Estado brasileiro	45
Sem-vergonhice sem fronteiras	49
Cultura é como vitamina C	51
A Odebrecht precisa ser extinta	53
Populistas são também idiotas	55
Quero que o meu neto leve olé do neto do Estevão	59
Pena antecipada para os aposentados roubados	61
Vou ver gente normal	63
O terror me pegou	65
A metamorfose	67
O rebolado de Anitta Meirelles	69
Nice, a narrativa e a Lava-Jato	71
Psicologia de newsletter	73
Fuja de quem se vende como antipolítico	77
Socialista fabiano e careca	79
Não vaie, vote (útil)	83
Letícia Sabatella, segundo Elias Canetti	85
Você já errou ao fazer a coisa certa no momento errado?	87
Recomendações a Michel Temer	91
Eles são todos republicanos	93
O dia em que fui indiciado	97
Sensacionalista com muito orgulho	101
A Revolução do Banheiro	103
Resumo de uma farsa chamada Lula	105

Por que Dilma será condenada pelo tribunal da história............ 107
Não confiável porque interminável... 109
A propaganda governamental é o mensalão da imprensa 113
Para ressuscitar um cadáver político... 115
Rui Barbosa e Mario Vargas Llosa contra a intimidação
perpetrada por Lula 117
Vingança à brasileira... 125
O impeachment é felicidade passageira 127

Segunda Parte
No Exílio

Déjeuner sur l'herbe.. 131
Nada mais do que a verdade 143
Place du Palais Bourbon 147

Prefácio

Este livro se divide em duas partes. A primeira, intitulada "De volta", reúne artigos escritos para a newsletter do site O Antagonista, entre abril e setembro de 2016 — ou seja, do mês anterior ao afastamento de Dilma Rousseff da Presidência da República até o seu impeachment. Não trato apenas da retirada da petista. No seu conjunto, os artigos tentam compor uma reflexão — ora mais, ora menos pessoal — sobre a selva institucional, social e cultural brasileira. A nossa "selva selvagem", para ecoar Dante Alighieri.

A segunda parte, intitulada "No exílio", traz artigos do período em que permaneci em Paris, como correspondente da revista *Veja*. Apenas um deles, "Déjeuner sur l'herbe", foi publicado antes de eu me mudar para a capital francesa. Resolvi incluí-lo, em versão modificada, porque hoje posso dizer que o meu estado de espírito já era o de um exilado.

A divisão em duas partes espelha o que ocorreu na minha vida nos últimos seis anos. Em 2011, decidi por conta própria sair da *Veja*, onde ocupava o cargo de redator-chefe, por ter batido com a cabeça no teto hierárquico e estar cansado das perseguições do PT desde a eclosão do mensalão. Minha saída oficial ocorreu em janeiro de 2012. Não demorei a constatar que havia sido uma péssima decisão, visto que os mercenários do lulopetismo continuavam a atentar contra mim. Roberto Civita, então, convidou-me a voltar para a revista.

Como as coisas andavam perigosamente quentes para o meu lado, ele propôs que me mudasse para uma cidade da Europa. Escolhi Paris. Traí a minha adorada Roma e, ainda por cima, casei-me com uma parisiense, a Helena da dedicatória.

Roberto Civita queria que eu ficasse um ano fora do Brasil, até o término do julgamento do mensalão, quando supúnhamos que o lulopetismo estaria suficientemente enfraquecido; com a sua morte, em maio de 2013, fiquei quase dois anos no exterior. Chamo o período de "exílio", porque também passei a ser pago para desaparecer gradativamente do jornalismo brasileiro.

Quando retornei ao país, dando um basta àquela situação profissional insustentável, optei por mergulhar na internet. Como ninguém queria me dar emprego, entrei em sociedade com o meu amigo Diogo Mainardi, a quem igualmente dedico este livro, para criar O Antagonista (o nome foi dado por Diogo). Estreamos em primeiro de janeiro de 2015, no dia da posse de Dilma Rousseff, com o objetivo expresso de vê-la rolar rampa abaixo. O objetivo não só foi alcançado, como O Antagonista se tornou o site de política mais lido do Brasil.

O Antagonista será longevo? As chances são boas. O jornalismo impresso, na dimensão que o conhecemos, está em vias de extinção, ao contrário dos políticos desonestos e das ideias fora do lugar que temos de combater continuamente nestas latitudes.

O Brasil, pelo menos, é interminável.

Primeira Parte

De Volta

PT: a democracia como valor monetário

Em 1990, passei por uma experiência curiosa e esclarecedora: editei a revista *Teoria & Debate*, do PT. Tinha 28 anos, estava desempregado e um amigo me convidou para esse trabalho. Eles não precisavam de um petista — jamais fui simpatizante do partido ou filiado —, mas de um jornalista que soubesse editar. Recém-casado, durango, aceitei o convite.

Era um estranho no ninho, mas fui bem recebido. Tanto que continuei a editar a *Teoria & Debate*, na condição de *freelancer*, por mais algum tempo, mesmo depois de empregado na *IstoÉ*.

Lia aqueles artigos extensos, escritos numa língua próxima ao português, e procurava lhes dar alguma sintaxe na sua falta de sentido intrínseco e extrínseco. Eu dizia que não era possível que eles ainda acreditassem em "luta de classes" e minhas observações eram ouvidas com sorrisos condescendentes. Fazia piadas sobre a "redenção da classe operária" e eles riam. Eu colocava poesias de grandes autores na quarta capa e eles aceitavam.

Eles, no caso, eram o baixo clero da máquina do partido com a qual eu lidava no cotidiano. Meu contato com o alto clero — os intelectuais petistas, integrantes do conselho editorial da revista — era esporádico. Vez por outra, havia uma reunião para definir a pauta e o meu papel era escutar calado o que discutiam.

Lembro que uma questão aparentemente não superada pelo PT naquele momento era se a democracia seria um "valor estratégico" ou um "valor universal". Traduzindo: se aceitar as regras democráticas consistia apenas numa forma para chegar ao poder — e, em seguida, implodir a coisa toda, a fim de instituir a "ditadura do proletariado" — ou se era possível revolucionar a sociedade dentro da moldura estabelecida institucionalmente pela "burguesia".

O contexto mundial era o da recente queda do Muro de Berlim e o esfacelamento do que os petistas chamavam de "socialismo real" no Leste Europeu (uma distopia que queriam fazer renascer como utopia).

Passados quase trinta anos, constato que, para o PT, a democracia sempre foi um valor monetário. Uma vez no poder, o PT tentou apodrecer a democracia para enriquecer ilicitamente a casta dirigente do partido. Uma vez no poder, o PT tentou putrefazer a democracia para desgovernar o país por meio da compra de aliados circunstanciais. Uma vez no poder, o PT tentou ulcerar a democracia para conquistar votos através da distribuição de migalhas a pobres desassistidos eternizados como pobres assistidos.

Em resumo, o PT raspou os bigodes stalinista e trotskista para tascar um bigodão sarneyzista no seu discurso socialista.

O foro privilegiado de Lula

Lula está na mira da Lava-Jato; Lula teve a nomeação para o Ministério da Casa Civil sustada, por ser clara tentativa de obstrução da Justiça, como demonstrou a conversa telefônica indecente entre ele e Dilma Rousseff.

E o que aconteceu de efetivo até agora?

Nada.

O juiz Sérgio Moro foi obrigado por Teori Zavascki a encaminhar a Rodrigo Janot os autos dos inquéritos em que Lula é citado. E, obviamente, tudo se encontra parado até Janot mandar a sua avaliação para Teori — que, por sua vez, avaliará se devolve os autos para Moro ou não.

O STF também adiou, para depois da decisão do Senado sobre o impeachment, o julgamento do mandado de segurança contra a nomeação de Lula. Os ministros acreditam que, se os senadores aceitarem a denúncia contra Dilma Rousseff, o mandado perderá o objeto e, assim, eles evitarão expor-se a um caso "polêmico".

Em resumo, o STF, atacado pelo petista em conversa telefônica grampeada pela Lava-Jato, continua a tratar Lula com reverência e medo.

A reverência é descabida. Como ex-presidente da República, ele não tem direito a essa excrescência chamada foro privilegiado. Como ex-presidente da República, os seus crimes deveriam ser examinados pelos magistrados com mais rapidez do que a dispensada ao cidadão comum, visto que milhões de brasileiros lhe confiaram o voto e por Lula foram traídos.

O medo é inexplicável. Os ministros do STF acreditam que o petista é capaz de retaliar o tribunal ou incendiar o país, uma vez que tenha a posse definitivamente anulada? Qual é a "polêmica" nessa matéria?

Ao privilegiar indevidamente Lula, seja por reverência, medo — ou, pior, partidarismo —, a mais alta instância da Justiça brasileira desaponta e cria um ambiente de insegurança jurídica que contamina todas as esferas da vida nacional.

PS: O mandado de segurança perdeu o objeto depois do impeachment. Teori Zavascki anulou o grampo da conversa entre Dilma Rousseff e Lula, sobre a nomeação do ex-presidente para a Casa Civil, mas autorizou a abertura de inquérito contra ambos pedida por Rodrigo Janot. O procurador-geral da República conseguiu manter Dilma e Lula no âmbito do foro privilegiado, porque a investigação envolve os ministros Navarro Dantas e Francisco Falcão, do STJ, suspeitos de tentar libertar empreiteiros da Lava-Jato a pedido do governo petista.

Lula tornou-se réu num outro processo de obstrução de Justiça, depois que Delcídio do Amaral delatou que o ex-presidente tentou comprar o silêncio do ex-diretor da Petrobras Nestor Cerveró. Teori Zavascki, curiosamente, entendeu que a história nada tinha a ver com o petrolão e o caso deveria permanecer com a Justiça Federal de Brasília. Livrou, assim, Lula de ficar frente a frente com Sérgio Moro.

O PSDB e a ética da responsabilidade

Há cerca de dez anos, quando entrevistei longamente Fernando Henrique Cardoso para *Veja*, por ocasião do lançamento do livro *A arte da política*, o ex-presidente discorreu sobre a "ética da convicção" e a "ética da responsabilidade".

FHC lançou mão desses conceitos do filósofo alemão Immanuel Kant, para explicar as alianças que fez para conseguir governar nos seus dois mandatos. Aliou-se a políticos dos quais discordava e mesmo condenava do ponto de vista individual — ou da ética da convicção —, visando ao bem comum. Desse modo, como presidente da República, atendeu à ética da responsabilidade.

Hoje, parte do PSDB recusa-se a participar do governo Michel Temer sob o pretexto de querer mudar a forma de como se faz coalizão de forças no Brasil.

Ainda que seja parcialmente verdadeiro, está claro que também falam alto conveniências eleitorais. O próprio Fernando Henrique Cardoso disse que o problema da participação dos tucanos é que, se tudo desse certo, o PMDB levaria os louros; se tudo desse errado, a culpa seria do PSDB.

Além de o raciocínio estar errado — ao ajudar no impeachment, o PSDB casou-se com o PMDB nas alegrias e tristezas —, o fato é que FHC e uma parte do tucanato deixaram de lado a ética da responsabilidade para com o Brasil.

Vivemos um momento grave nos planos institucional, político e econômico. O PSDB não precisa gostar do PMDB e de Michel Temer. O PSDB pode até acreditar que perderá eleitoralmente. Mas é imprescindível que integre, com os seus ótimos quadros, a próxima administração, se não quiser entregar o país de volta ao PT — e ao caos.

A ética da responsabilidade deve prevalecer sobre a ética da convicção.

Dilma poderá revelar o que somos

Uma vez aprovado o impeachment, a oposição teme que Dilma Rousseff se acorrente à mesa presidencial, para ser retirada à força do Palácio do Planalto.

Se ela vier a dar esse espetáculo, a imagem do Brasil será indelevelmente a de uma república das bananas. É o que somos. Nesse aspecto, Dilma Rousseff nos faria um favor. Fingimos mal ser o que não somos.

O Brasil é bananeiro no gongorismo do Supremo Tribunal Federal. O Brasil é bananeiro na vulgaridade do Congresso Nacional. O Brasil é bananeiro na rapacidade dos seus partidos. O Brasil é bananeiro na poltronice dos seus empresários. O Brasil é bananeiro na caipirice dos seus cidadãos. O Brasil é bananeiro na emotividade despudorada de lulistas e antilulistas. O Brasil é bananeiro na precariedade das suas cidades. O Brasil é bananeiro na mediocridade das suas universidades. O Brasil é bananeiro na indigência da sua cultura.

Os modernistas tentaram transformar os nossos defeitos de república das bananas em qualidades maravilhosas que nos diferenciavam de todos os outros povos, bananeiros ou não. Essa balela extravasou o meio intelectual e passou a ser vendida em todo tipo de propaganda — da política à de chinelos. Foi assim que esquecemos Machado de Assis e passamos a adorar Oswald de Andrade. Foi assim que fomos de Joaquim Nabuco a Lula.

Dilma acorrentada à mesa presidencial cancelaria de uma vez o nosso autoengano.

Quem é o golpista?

Em 1985, o PT se recusou a votar em Tancredo Neves, porque não via legitimidade na única forma de dar um ponto final no regime militar — a eleição indireta, depois do malogro do movimento "Diretas Já".

O PT não participou da homologação coletiva da Constituição Federal de 1988, a pedra angular do nosso ordenamento jurídico, porque queria um texto "mais radical" — o que inviabilizaria o governo, como reconheceu bem mais tarde o próprio Lula.

O PT foi contra o Plano Real, que eliminou a hiperinflação, porque acreditava que o "quanto pior, melhor" o levaria ao poder. Sete anos depois, teve de fazer uma "carta ao povo brasileiro", para sossegar o mercado e não afundar o país com a eleição de Lula.

Uma vez presidente, Lula instituiu o mensalão, para corromper a democracia através da compra de parlamentares, e transformou os programas sociais em simples distribuidores de esmolas, a fim de ser reeleito. Também apostou irresponsavelmente no crédito farto para sustentar o crescimento, endividando milhões de brasileiros pobres — que, assim, tiveram a ilusão de ter ascendido socialmente.

Com Dilma Rousseff na presidência, a economia entrou em parafuso, por causa do aumento do gasto público de maneira exponencial, da falta de investimentos, que já vinha da administração anterior, e do petrolão, o maior esquema de corrupção de que se tem notícia, iniciado por Lula paralelamente ao mensalão.

Para ser reeleita, Dilma usou dinheiro desviado da Petrobras, hoje de joelhos, e lançou mão das pedaladas fiscais, para encobrir que as contas do governo estavam fora de controle. Como resultado do descalabro de quase catorze anos, a inflação assombra os cidadãos, assim como o desemprego e a falta de perspectiva para os jovens.

Às vésperas de ser saída do Palácio do Planalto, Dilma ignorou o Tesouro e, com a intenção de deixar uma herança fiscal ainda mais maldita para Michel Temer, aumentou o Bolsa Família em 9% e reajustou a tabela do Imposto de Renda em 5%.

Diga: quem é o golpista nessa história?

Uma estátua de Lula em cada cidade do país

Na semana em que o parecer favorável ao impeachment de Dilma Rousseff foi aprovado pela comissão especial no Senado, a notícia mais importante foi o pedido de investigação de Lula por Rodrigo Janot.

Tantas vezes acusado de ser leniente com o chefão, o procurador-geral da República foi demolidor na sua petição ao STF: "Essa organização criminosa jamais poderia ter funcionado por tantos anos e de uma forma tão ampla e agressiva no âmbito do governo federal sem que o ex-presidente Lula dela participasse."

As provas contra o petista se avolumam na Lava-Jato, a mais recente delas um imóvel em São Paulo comprado pela Odebrecht para o Instituto Lula, por meio dos laranjas de sempre. Total: 12,3 milhões de reais. Outras provas decerto aparecerão, e cada prova é uma marretada no mito mais fajuto construído pela esquerda nativa. Mais fajuto que o de Getúlio Vargas; mais fajuto que o de João Goulart; mais fajuto que o de Leonel Brizola.

Mais fajuto porque mais pretensioso. Milhões de cidadãos agora descobrem que Lula jamais representou o fim da história, na versão *gauche*. É apenas outro ladrão que fingia ser o salvador da pátria, nessa história sem fim da roubalheira nacional.

Uma vez esfacelado o mito, proponho erguer uma estátua de Lula em cada cidade brasileira, com a seguinte inscrição a seu pé: "O petrolão é nosso." Talvez assim consigamos aprender alguma coisa.

Já será ótimo se não superfaturarmos as estátuas.

Os prazos da política e o mundo real

Essa vigarice de Waldir Maranhão e José Eduardo Cardozo, de tentar anular na caluda o impeachment na Câmara, ultrapassou os limites mesmo para Renan Calheiros, que a ignorou e deu prosseguimento ao processo no Senado.

Final feliz? Sim. Mas não inteiramente.

O presidente da Câmara "anulou" o impeachment de manhã e o presidente do Senado só desfez a "anulação" no final da tarde. Tempo suficiente para o mercado entrar em parafuso, com dólar subindo e Bolsa despencando. Por quê? Porque o fim de semana das excelências brasilienses só termina na metade de segunda-feira.

Temos também um problema de prazos, senhoras e senhores.

Parem para pensar: se o Senado aprovar o relatório de Antonio Anastasia, Dilma Rousseff poderá ficar afastada por 180 dias, até ser impedida definitivamente. Ou seja, seis meses em que Michel Temer, oficialmente, será presidente interino. Ah, mas, uma vez saída, ela não voltará mais e... Não? Na Constituição, está escrito que, se o julgamento não for concluído em meio ano, o presidente volta ao Planalto, "sem prejuízo do regular prosseguimento do processo". Ou seja, Dilma Rousseff não só tem chance, ainda que mínima, de reocupar o cargo contra o qual atentou, como a espada da Justiça continuará sobre a sua cabeça.

Sobre as nossas.

Deixando de lado o outro problema dessa gentinha que somos obrigados a engolir como representantes do povo, o fato é que os prazos da política brasileira — informais e formais — estão longe de corresponder ao mundo real. Quanto dinheiro o país perdeu hoje, porque o Senado demorou a dar uma resposta à vigarice de Waldir Maranhão e José Eduardo Cardozo? Como dá para ter segurança jurídica, essencial para os negócios, quando um presidente com poderes monárquicos pode voltar passados 180 dias do seu afastamento, sem perder a condição de réu?

Precisamos ser mais rápidos nas decisões políticas. Trabalhem de segunda a sexta, deputados e senadores. E reescrevam pelo menos os artigos da Constituição que tratam do impeachment. Seis meses é muito.

Voltando à gentinha que somos obrigados a engolir como representantes do povo, o maranhense Waldir Maranhão e o paulista José Eduardo Cardozo confirmam que o Brasil é um fenômeno de unidade linguística.

Política não é o fim

O primeiro levantamento das contas do desgoverno Dilma Rousseff é espantoso.

O buraco é muito maior do que os 96 bilhões de reais anunciados, porque não incluiu a queda brutal na arrecadação, a renegociação das dívidas dos estados e restos a pagar.

A única saída é cortar, cortar e cortar. Se, mesmo assim, o buraco continuar abismal, os contribuintes terão de pagar o pato.

Como foi possível chegar a esse estado de coisas?

A resposta é simples: nós, cidadãos brasileiros, somos os maiores responsáveis pela irresponsabilidade do PT. Sim, inclusive você que nunca votou em Lula ou Dilma.

Porque não basta se revoltar quando tudo está desmoronando à sua volta. É preciso constância na fiscalização e cobrança dos governantes, a fim de evitar a ruína.

Em resumo, a política deve entrar no rol das suas preocupações cotidianas, porque quase todas elas são... política!

A calçada esburacada é política; a falta de iluminação pública é política; o rio sujo é política; a mensalidade exorbitante da escola do seu filho é política; os reajustes abusivos dos planos de saúde são política; a falta de emprego é política; a ciclovia que foi tragada por uma onda é política — até a decadência do futebol é resultado da política. Fôssemos um país bem governado, seríamos ricos o suficiente para manter os bons jogadores por aqui e importar os melhores estrangeiros.

O impeachment de Dilma Rousseff não pode ser apenas uma catarse. Tem de ser um ponto de inflexão no nosso atávico desinteresse pela política.

Política não é o fim, mas o começo.

Vamos nos livrar da Petrobras

O relatório da McKinsey sobre a Petrobras demole o mito de que a criação da estatal propiciou ao Brasil um enorme avanço tecnológico na exploração de petróleo. Vamos repetir os dados publicados com exclusividade por O Antagonista:

— Para ficarem prontos, os projetos de plataformas brasileiros levam, em média, 68% mais tempo do que a média internacional. Na construção de plataformas, os custos da Petrobras chegam a ser 350% maiores do que os de outras companhias;
— A Petrobras possui 1.515 pedidos de patente no mundo. O Shell Group possui mais de 16 mil, a Total mais de 9.600 e a Chevron mais de 8.300 pedidos;
— O atraso médio da construção nos estaleiros é de doze meses;
— Estaleiros locais possuem pouca experiência na construção de sondas e plataformas. A experiência em construção de cascos é muito limitada.

O PT destruiu a Petrobras, mas, antes da chegada do partido ao poder, a estatal jamais foi um assombro de competência e transparência. Tanto é que não atingiu o objetivo da sua criação, o de tornar o país autossuficiente na produção petrolífera (a autossuficiência de Lula era uma farsa, não esqueçamos).

A verdade que se contrapõe ao mito está diante dos nossos olhos: a Petrobras nunca passou de um fardo para os contribuintes e uma forma de os governos fazerem caixa para bancar projetos de cunho demagógico — ou roubar, simplesmente.

A estatal nasceu do nacionalismo econômico, o primeiro refúgio dos enganadores e corruptos.

Temos de nos livrar da Petrobras.

Estamos perdidos

A criminalidade que mata, fere e aleija é um assunto lateral da política, reservado ao discurso dos demagogos. E, no entanto, a criminalidade é onipresente no dia a dia de todas as classes sociais, em especial as mais pobres, que não têm o refrigério de, às vezes, experimentar a libertação de andar numa rua de nação desenvolvida.

O Brasil é o país com o maior número absoluto de homicídios por ano. Em 2014, foram 59.627. Ou 29 em cada 100 mil habitantes. Para mostrar como estamos longe da civilização, na Itália a proporção é de 0,9 por 100 mil habitantes. Sim, a Itália das grandes máfias.

Mais um susto estatístico: somos responsáveis por 10% de todos os assassinatos cometidos no planeta, embora sejamos apenas 3% da população mundial. O Brasil é de uma ferocidade bem calculada.

Em 2006, coordenei uma edição de *Veja* dedicada à criminalidade brasileira. Os repórteres levantaram as suas causas. Falta de policiamento ostensivo, investigação precária, leniência penal e sistema prisional em ruínas estão na base do nosso medo de levar um tiro. A porosidade das fronteiras também. Publicamos um mapa detalhado, para mostrar por onde entram drogas, armas e contrabando de bens. A edição foi muito elogiada por políticos, mas desde então a situação só fez piorar.

Recentemente, ouvi de um ministro que o Exército não queria ajudar no combate a traficantes e contrabandistas, porque os comandantes tinham medo de que oficiais e soldados passassem para o lado dos bandidos.

Estamos perdidos.

Romero Jucá e a Guerra dos Trinta Anos

Em 2005, Romero Jucá foi exonerado do Ministério da Previdência por causa de um escândalo de corrupção batizado de "Frangogate". Depois, enrolou-se na Lava-Jato e na Zelotes, para não falar dos escândalos regionais dos quais é protagonista. Ainda assim, foi nomeado ministro do Planejamento por Michel Temer.

Hoje, surgiram áudios que mostram como ele viu no impeachment de Dilma Rousseff a grande chance de melar o trabalho de Sérgio Moro e companhia. Romero Jucá foi obrigado a pedir licença — apenas uma forma menos vergonhosa de ser saído.

Ele vai sobreviver politicamente?

Vai, a menos que seja condenado na Justiça.

De quem é a culpa?

A culpa é dos eleitores que votam em Romero Jucá e assemelhados.

Não é possível atenuar a responsabilidade dos cidadãos. As informações mais evidentes estão no seu próprio cotidiano, nas dificuldades que enfrentam, no que se acha ao alcance dos seus olhos.

No que Romero Jucá ajudou a melhorar a vida do povo de Roraima? Para ser benigno, em muito pouco para quem está lá, como político, há quase três décadas. Os eleitores não percebem?

Na Europa, a Guerra dos Trinta Anos resultou na liberdade de culto para protestantes e católicos. Em Roraima e no resto do

Brasil, trinta anos de Romero Jucá resultaram num amontoado de lambanças.

A espada da democracia é o voto. Decapitem Jucá, roraimenses, e comecem a conquistar a sua própria liberdade — e parte da nossa.

Não se deixe levar pela confusão do noticiário

As gravações de Sérgio Machado, ex-presidente da Transpetro, divulgadas até agora mostram que políticos do PMDB viram no impeachment uma oportunidade de parar a Lava-Jato.
Isso tira a legitimidade do afastamento de Dilma Rousseff? É claro que não.
Dilma Rousseff foi afastada (e, se tudo der certo, definitivamente) porque atentou contra a Lei de Responsabilidade Fiscal e, portanto, contra a Constituição Federal. As fraudes no orçamento cometidas pela petista e o seu séquito de irresponsáveis traduziram-se no rombo de 170,5 bilhões de reais nas contas do governo. Rombo que cancelou as conquistas do passado, sabotou as possibilidades do presente e turvou o futuro da nação.
Tirar a legitimidade do impeachment por causa do teor das conversas indecentes entre Sérgio Machado e Romero Jucá, e Renan Calheiros e José Sarney, é só mais uma tentativa de confundir os brasileiros. Em política, motivos escusos podem levar a que se faça a coisa certa.
Também podem levar a que se faça a coisa errada. É o caso de Lula. A pretexto de dar ao país um recomeço, ele quer que Dilma Rousseff volte ao Planalto e convoque um plebiscito para aprovar novas eleições presidenciais para outubro. Lula deseja candidatar-se, ser eleito, escapar da Lava-Jato e, uma vez no poder, tentar

melar a operação que está limpando o país. Da mesma forma que Renan Calheiros, Romero Jucá e José Sarney quando resolveram trilhar o caminho (certo) do impeachment.

Neste momento, leitor, é primordial que você não se deixe levar pela confusão do noticiário. Goste-se ou não dele, Michel Temer é o presidente legítimo. E ninguém — ninguém, mesmo — poderá deter a Lava-Jato, se todos continuarmos vigilantes.

Você não precisa escolher motocicletas

Um dos malefícios causados pelo PT foi a ideologização de todos os aspectos da vida. Ideologização que transita entre a desonestidade intelectual e a mais absoluta insanidade.

Veja-se o caso do estupro coletivo da adolescente carioca, ainda não totalmente esclarecido. Petistas chegaram a culpar o governo Temer — ou a direita — pela "cultura do estupro" no Brasil, o que seria um dos lados mais perversos da exploração capitalista. Como escrevi em O Antagonista, o argumento não passa de um estupro da razão.

O jornalista Tales Alvarenga, que morreu em 2006, dois anos depois de deixar a direção de *Veja*, costumava fazer piadas com os estereótipos inculcados pela esquerda. Ele dizia que alcançavam até mesmo as motocicletas. "Quem gosta de Harley-Davidson é de esquerda; quem prefere as motos de corrida é de direita", brincava. Não duvido que haja gente que pense assim.

Na década de 1980, um livrinho de Marilena Chauí antecipava o fenômeno. Intitulava-se *O que é Ideologia* e integrava a coleção "Primeiros Passos", da editora Brasiliense. O opúsculo serviu para doutrinar milhares de estudantes secundaristas e universitários. A professora da USP, petista de primeiríssima hora, afirmava que tudo — absolutamente tudo — era ideologia, numa simplificação grosseira daquela outra banalização vasta e sofisticada chamada marxismo.

Para os ideólogos da ideologia onisciente, onipresente e onipotente, os valores morais que erigiram a civilização ocidental são instrumentos de manipulação das "classes dominantes". Uma forma de manter sob o seu jugo a massa trabalhadora. Transgredi-los em prol da causa socialista é, mais do que desculpável, necessário. Só devem ser esgrimidos para ferir quem discorda de você, como demonstra o episódio do estupro coletivo.

Na verdade, a ideologização extrema é o exato contrário da politização. Ela relativiza o certo e o errado, empana as consciências, inviabiliza o debate e impossibilita os consensos. Está para a política como o fanatismo para a religião. Não existe o PT "light" — o PT sempre foi "xiita", para ficar na imagem ipanemense de trinta anos atrás.

O que nos salva é a vagabundagem. Na Rússia de 1917, a ideologização produziu uma ditadura que durou mais de setenta anos. No Brasil do PT, gerou o maior assalto aos cofres públicos de que se tem notícia. Marilena Chauí não é Marx; Lula não é Lenin.

Lembre-se, portanto, de que você não precisa escolher motocicletas.

Os estrangeiros sabem que você recebeu a mensagem

Por razões de ordem familiar, passei a conviver com estrangeiros expatriados. Todos estão no Brasil a trabalho. Todos acham o Brasil o fim da picada. Todos querem cair fora o quanto antes.

Eu não deveria me deixar levar pelas impressões de uns poucos gringos, mas elas confirmam os meus 54 anos de experiência como brasileiro. Aliás, confirmam os meus 54 anos de experiência com brasileiros.

Os estrangeiros expatriados que conheço não criticam tanto a criminalidade, os preços extorsivos, a precariedade das nossas cidades. Essa desolação é conhecida. O que não suportam mesmo é a nossa falta de compromisso.

Somos pouco ou nada confiáveis nos planos profissional e pessoal. Dizemos uma coisa e fazemos outra. Quando fazemos. A especialidade nacional é frustrar expectativas.

Brasileiros são capazes de negar que concordaram com a minuta final do contrato que está ali à sua frente. Brasileiros são capazes de mentir que não receberam mensagens de celular mesmo quando aparece o sinal de que foram lidas. "Como não dá para confiar nas pessoas, é um dos piores lugares do mundo para trabalhar e tentar fazer amigos de verdade", afirmam os estrangeiros das minhas relações.

Você ainda acha que estou sendo levado pelo impressionismo de gatos pingados que miam em outra língua? Então lá vai: brasileiros são capazes de garantir que eliminarão o esgoto da Baía de Guanabara até a realização dos Jogos Olímpicos e acabar promovendo a Olimpíada do Cocô. Não é a melhor forma de conquistar simpatia, convenhamos. E o pior é que, ao vir à tona esse problemão sanitário, reagimos afirmando que se tratava de intriga internacional. Pois é, os excrementos boiando ali do lado, como sinal de mensagem lida, e nós insistindo em negar a sua existência.

O Brasil vai mal nos rankings de saúde, educação e produtividade, mas vai ainda pior no de confiabilidade. Precisamos nos emendar.

Os políticos são o nosso retrato

Muitos leitores de O Antagonista perguntam se o Brasil tem jeito. A pergunta traduz uma angústia circunstancial — ligada à crise política e econômica dos dias que correm — e outra de fundo: existe chance de o país vir a civilizar-se?

Em relação à circunstância, acho que o Brasil sairá da crise política, caso finalmente releguemos Dilma Rousseff ao passado. Uma vez que ela seja cancelada do nosso cotidiano, a economia exibirá uma melhora inercial que poderá ganhar velocidade se Michel Temer cumprir pelo menos metade do que se propôs.

O meu otimismo não vai além das obviedades que escrevi acima. Na minha opinião, estamos condenados a ser um país de segunda categoria, com altos pouco altos e baixos muito baixos.

Baseio-me na geografia e na história do Brasil. Estamos longe das nações que poderiam nos proporcionar alianças ou integrações decisivas para o nosso progresso material e espiritual. Não nascemos do idealismo que criou os Estados Unidos, mas da cobiça, da luxúria e da tristeza de que fala Paulo Prado em *Retrato do Brasil*.

Os modernistas tentaram transformar tais defeitos em qualidades capazes de erguer um novo tipo de civilização, mas nem a sua arte tinha qualidade, nem os seus propósitos, realidade.

Quando se observa o universo partidário, a fatalidade fica mais clara. PMDB, PT, PSDB, PP, PTB e que o mais for não são apenas siglas, e sim o sequenciamento de uma genética histórica infeliz. Os políticos brasileiros não estão divorciados da maioria dos eleitores, sejam eles pobres, remediados ou ricos. São a expressão máxima das suas ambições e dos seus apetites.

Estamos condenados a ser ávidos, libertinos, melancólicos.

Sobre o meu avô, o Estado e o Estado brasileiro

Acho graça quando petistas me xingam de "fascista". Sou fruto da oposição ao fascismo. Explico: o meu avô materno refugiou-se no Brasil ao receber um ultimato de Benito Mussolini para sair da Itália. Era cair fora ou morrer. Mussolini lhe deu essa oportunidade porque ambos trabalharam juntos no jornal socialista *Avanti!* e nutriam certa afeição recíproca quando eram colegas de redação.

É impossível que Mussolini tenha odiado o meu avô, no máximo uma minúscula nota de rodapé na sua biografia. Mas o meu avô odiava Mussolini, a ponto de a simples pronúncia do seu nome ser proibida diante dele. Até mesmo falar dos feitos dos antigos romanos — que os fascistas pateticamente tentaram copiar — era considerado ofensa grave. Nada podia lembrar Mussolini, o homem que o expulsara da Itália e havia assassinado muitos dos seus amigos.

Meu avô era melhor do que Mussolini? Digamos que não teve a chance de provar. O meu avô era, mais do que socialista, anarcossocialista, amigão de Errico Malatesta, prócer do movimento italiano (os que me chamam de "socialista fabiano" vão adorar saber). Uma vez no poder, talvez mandasse fuzilar Mussolini, sem lhe dar a chance de escapar para a América do Sul. Só estou sendo franco porque a minha mãe morreu e os dois tios maternos que me restam dificilmente lerão esta newsletter.

A minha existência, portanto, se deve ao fato de um anarcossocialista ter sido expelido da Itália por um socialista que se tornou o *Duce* fascista. Assim sendo, é natural que pense no meu avô quando leio a palavra "fascista" ou a expressão "socialista fabiano" associadas a mim. Também penso nele ao ouvir jovens adeptos do liberalismo em pregação pelo fim do Estado.

O meu avô anarcossocialista pregava o fim do Estado. Ele basicamente queria substituir essa grande conquista da civilização por sindicatos de trabalhadores em assembleia permanente, que decidiriam tudo: do preço do leite ao fim das fronteiras nacionais. Troque-se os sindicatos dos trabalhadores em assembleia permanente pelas leis do mercado e a privatização de todas as atividades humanas e eis que temos a profissão de fé desses jovens adeptos do liberalismo que pregam o fim do Estado. O nome de tal profissão de fé é anarcocapitalismo.

A revolta mais do que justificada contra o Estado brasileiro deveria nos fazer refletir menos sobre o substantivo e mais sobre o adjetivo. Diminuir o nosso Estado é fácil. Difícil é fazer com que ele não seja brasileiro.

O Estado é uma grande conquista da civilização porque, lá na sua origem, impediu que devorássemos uns aos outros. Depois, porque resultou na separação entre o público e o privado, sem matar o privado. Mais tarde, porque propiciou a educação universal. Em seguida, porque possibilitou a construção de redes de saúde, saneamento básico, iluminação e transporte dignos desses nomes para as massas. Por último, viabilizou a criação de museus e bibliotecas fantásticos.

O Estado da civilização, como se pode ver, é o exato oposto do Estado brasileiro — um monstrengo surgido da colusão entre os patrimonialistas da direita e da esquerda nacionais, lubrificados por um povo ignorante e abúlico.

Nem "fascista", nem "socialista fabiano", nem anarquista de qualquer tipo, sou muito pelo contrário.

Sem-vergonhice sem fronteiras

Não entendo nada de ciência e tecnologia, mas sei que as universidades, os laboratórios e centros de pesquisa do Brasil estão a anos-luz de distância daqueles dos países avançados.

Não entendo nada de ciência e tecnologia, mas sei que são fatores determinantes para o desenvolvimento de uma nação.

Não entendo nada de ciência e tecnologia, mas sei que é um inferno encontrar um bom instalador de ar-condicionado por aqui.

Foi com certa curiosidade que li a notícia da *Folha* segundo a qual apenas 3,7% dos participantes do programa federal Ciência Sem Fronteiras foram estudar nas melhores universidades do mundo — aquelas que realmente fariam diferença para a formação dos beneficiados e, assim, para o avanço científico e tecnológico nacional. A massacrante maioria aproveitou o intercâmbio com dinheiro público para "ter uma experiência lá fora". E o "lá fora", não raro, foi Portugal — essa ilha de excelência na Europa Ocidental.

É claro que o programa inventado pelo PT era demagógico, um trem da alegria destinado principalmente a uma porção de gente sem requisitos acadêmicos para estudar no exterior. O meu ponto não é esse. O meu ponto é justamente a quantidade de gente disposta a pegar qualquer trem da alegria no Brasil, desde que pago com dinheiro público, sem a preocupação de dar retorno ao país.

Não há diferença moral entre o estudante que pegou bolsa do governo para fazer curso de nanotecnologia na Universidade de Coimbra e o político que vai ao estrangeiro às nossas expensas, a pretexto de discutir alianças estratégicas, e passa o dia circulando em lojas de grife de Nova York, Londres, Paris ou Roma.

Somos um país de salafrários, essa é a verdade, e os trens da alegria nos espelham, não importa o nome que se dê a eles. A taxa de honestidade brasileira talvez seja mesmo de míseros 3,7%.

Vou ter de continuar procurando um bom instalador de ar--condicionado.

Cultura é como vitamina C

Há uma passagem na biografia de Winston Churchill escrita por Lord Roy Jenkins que não me sai da cabeça. Ao visitar um distrito pobre, o ainda jovem Churchill perguntou a um assessor: "Você imagina o que é passar uma vida inteira sem ter uma conversa inteligente?" Estava falando da falta de oportunidade de desenvolvimento intelectual e estético dos habitantes daquele lugar que lhe parecia especialmente precário.

A passagem não me sai da cabeça porque a inteligência, produto sempre escasso na história, vem-se tornando cada vez mais rara desde que as diversões idiotas tomaram o lugar da cultura e o esquerdismo ocupou os currículos escolares. Vale tanto para pobres como para ricos.

Não há nada de errado em gostar de diversões idiotas. Eu, por exemplo, gosto muito de assistir a *Game of Thrones*. Já de novelas, tenho verdadeira alergia. Acho que empipocam o cérebro. Na escala da idiotice, as novelas atingem o grau máximo, juntamente com as obras de Lenin.

Não há nada de original em falar mal de novelas, mas talvez ainda haja alguma originalidade em falar mal de todo o resto que se produz no Brasil na área cultural. De modo geral, a televisão, o cinema, o teatro, a pintura, a escultura, a literatura, a música e a arquitetura brasileiras são de uma ruindade assombrosa.

Você, Mario, que escreveu quatro livros, também faz parte desse panorama desolador? Pode registrar aí: eu faço. Meus quatro livros são uma porcaria. Posso dizer porque os li. Sou tão ruim quanto Chico Buarque, que desancou o meu primeiro romance, anos depois de eu despedaçar um dos que ele escreveu (não me lembro o título).

Se eu voltar à ficção, será apenas para provar mais uma vez que sou mau escritor e propiciar aos meus inimigos outros ataques a mim, mesmo que jamais tenham tido o desprazer de me ler (parafraseando João Cabral de Melo Neto, gosto de cultivar os meus inimigos como quem cultiva o deserto como um pomar às avessas).

A cultura serve principalmente para termos conversas inteligentes. Conversas sobre se o mal pode conter o bem (a série *Sopranos* e Santo Agostinho), como transformar o particular em universal (Philip Roth e a Torre Eiffel), se o amor é destino ou construção (Woody Allen e Dante Alighieri) e até se o Mario Sabino acha mesmo os livros dele tão ruins assim ou apenas exercita a *self-deprecation* (especialidade inglesa).

Conversas inteligentes não têm nada de aborrecidas, inclusive porque não costumam tomar mais do que, calculo, 2% da nossa existência. No resto do tempo, voltamos forçosamente a exercer a nossa futilidade natural, preocupados que somos com os apetites rasteiros.

A cultura tem o papel de nos elevar um pouquinho, por curto espaço de tempo, da nossa própria mesquinhez. É como vitamina C. Você não precisa de muita por dia. Mas o mundo está carente dessa vitamina e, no Brasil, a falta é completa. A nossa produção cultural só contém carboidratos, glúten e lactose.

Sim, Churchill, dá para imaginar o que é passar uma vida inteira sem ter uma conversa inteligente.

A Odebrecht precisa ser extinta

A esta altura, não há dúvida razoável: a Odebrecht é uma organização criminosa disfarçada de empresa. Como tal, tem de ser totalmente desmantelada. A Odebrecht precisa ser extinta.

Está errado dizer que ela mantinha um departamento de propina. O correto é afirmar é que era composta por um núcleo de corrupção cercado de departamentos que lhe serviam de fachada para roubar dinheiro público. Tanto é que a transferência para esse núcleo significava uma promoção para os funcionários.

A Odebrecht lavava o dinheiro de contratos hiperfaturados com a construção de obras mais ou menos capengas, a depender da visibilidade que elas lhe proporcionavam para a obtenção de mais contratos hiperfaturados. A fim de manter o esquema funcionando, a organização viabilizava financeiramente a eleição de políticos comprometidos com ele. Mais: a Odebrecht chegou a contratar um ex-presidente da República como lobista, para garantir um fluxo ainda maior de dinheiro público para o seu caixa, por meio de empréstimos a juros subsidiados pelos contribuintes.

Até a ascensão de Marcelo, a Odebrecht atuava como as outras empresas que há anos participam do assalto aos cofres da União, dos estados e municípios. O novo presidente da organização, no entanto, aperfeiçoou e ampliou a roubança, criando o departamento de propina que se transformou no coração de toda a estrutura.

Ele não parou por aí. A Odebrecht comprou um banco no exterior para otimizar a distribuição de dinheiro sujo aos seus cúmplices. Isso vai muito além da infiltração mafiosa no sistema financeiro europeu. É como se a máfia italiana houvesse ela própria adquirido um banco para fazer as suas transações espúrias. Marcelo Odebrecht é um gênio do crime.

Não há acordo de leniência possível com essa organização criminosa. A extinção da Odebrecht é necessária para depurar o capitalismo brasileiro e também a política do país. Ponto final.

O Brasil, no entanto, não sabe dar pontos finais.

Populistas são também idiotas

O populismo de esquerda e direita é capaz de infectar até mesmo países altamente civilizados, caso do Reino Unido. O Brexit representou uma vitória do populismo de direita, cujo rosto é Nigel Farage, chefe do Independence Party.

Os motores do Brexit foram principalmente a crise migratória e a xenofobia dos mais velhos — os britânicos com menos de 24 anos votaram maciçamente pela permanência do Reino Unido na União Europeia. O excesso de regulação dos burocratas de Bruxelas contou para o "Leave", mas serviu como força auxiliar para a decisão que causou um terremoto nas bolsas de todo o mundo e lançou uma sombra sobre o processo de globalização.

O populismo é o exato oposto da racionalidade, demonstra o Brexit. Como escreveu David Cassidy, da *New Yorker*, os seus partidários não ouviram a City, o ministro das Finanças, o Banco da Inglaterra, o FMI, o governo americano e uma infinidade de grandes economistas e empresários. Ao contrário do que diz toda essa gente respeitável, os adeptos do "Leave" acreditam que o Reino Unido poderá se tornar uma Noruega ou uma Suíça, países que rejeitaram a integração com o bloco, mas se beneficiam de um status especial com as nações da UE.

É um engano. A economia do Reino Unido, além de ser bem maior do que a norueguesa e suíça, é baseada na exportação de manufaturados que perderão o acesso sem barreiras ao maior mercado do planeta. Mercado, aliás, que se integrará ao americano. UE e Estados Unidos negociam (a duras penas, mas negociam) a criação da mais pujante zona de livre comércio do mundo — e o Reino Unido será, no máximo, um apêndice dela. Muito inteligente.

A massa ignara que votou pela saída do bloco europeu se deixou levar pelo discurso do mentecapto Nigel Farage e asnos do Partido Conservador, sem se dar conta de que a integração à UE foi determinante para tirar o país da recessão na década de 80 e empurrar ladeira acima a economia britânica nos anos que se seguiram. O thatcherismo não teria dado resultados tão espetaculares sem a adesão ao bloco, apesar de todas as bravatas antieuropeístas da Dama de Ferro.

A burocracia da UE é exasperante? Sim. A adoção do euro, sem união fiscal, foi desastrosa? Sim. A crise iniciada em 2008 continua a bater forte, em especial no Sul do continente? Sim. Os tropeços, contudo, não apagam o fato de que o bloco europeu é um sucesso político — amalgamou nações historicamente inimigas — e econômico. Não há um país que tenha empobrecido por causa da UE. Ela propiciou e acelerou o enriquecimento de todos, absolutamente todos, que a integram. O Reino Unido não ficará pobre, mas enriquecerá menos no seu esplêndido isolamento. A queda do valor da libra é o sinal mais evidente do futuro britânico. Quanto à ideia de que sair do bloco europeu dificultará a entrada de imigrantes ilegais oriundos de países africanos e do Oriente Médio, é só uma cretinice xenófoba. O Reino Unido já não fazia parte do Espaço Schengen. E os europeus dos países do Leste continuarão a ser mão de obra necessária, ao contrário do que dizem os populistas de direita.

A saída da UE também causará um problemão interno. Escócia e Irlanda do Norte votaram majoritariamente na permanência do

Reino Unido no bloco. Em 2014, no plebiscito que definiu que os escoceses continuariam ligados à Inglaterra, um forte argumento utilizado nesse sentido foi dado pela UE. Os principais líderes europeus afirmaram que, se a Escócia saísse do Reino Unido, ela dificilmente seguiria no bloco. Agora, a Escócia está fora da UE, por causa do atrelamento à Inglaterra. Escoceses já recomeçam a falar em independência, dessa vez para voltarem ao bloco. Na Irlanda do Norte, por seu turno, o Sinn Fein, o partido nacionalista, quer um referendo para uni-la à Irlanda que ficou rica graças à UE.

A ironia, nota David Cassidy, é que o Reino Unido corre o risco de se esfacelar do ponto de vista político antes de se desligar do bloco europeu, processo que deve demorar alguns anos para se completar.

Populistas são também idiotas.

Quero que o meu neto leve olé do neto do Estevão

E studei em escola pública do quarto ano ao primeiro colegial. Ou seja, de 1971 a 1976. Fui para a escola pública depois que a separação dos meus pais empobreceu a minha mãe; voltei para a escola particular depois que o meu pai, casado pela segunda vez, parou de brigar com a minha mãe — e a escola pública havia começado a se tornar um lixo completo.

As duas escolas públicas que tive a oportunidade de frequentar contavam com excelentes professores, laboratórios bem equipados, bibliotecas decentes e quadras de esporte impecáveis. Eram exceções num universo incomparavelmente melhor do que o de hoje. Filho de médico, eu convivia com filhos de empregadas domésticas, pedreiros, feirantes, comerciários, garçons e, imagino, desempregados. Branco, eu convivia com outros brancos, negros, mulatos, cafuzos e asiáticos. Bom corredor, no pega-pega eu levava olé do Estevão, primogênito de uma lavadeira.

Nossos filhos não tiveram nem terão semelhante experiência. Mesmo que ocorram vicissitudes familiares como as que marcaram a minha infância, sempre haverá um tio pronto a evitar a "tragédia" de os sobrinhos serem obrigados a sair do sistema privado de ensino. Escola pública, para a classe média, agora é ameaça de castigo para quem tira notas ruins: "Se não se emendar, mando você para uma escola estadual!"

A falência total da escola pública não é só fruto do descaso, mas de uma política desenhada para o seu aniquilamento — que, paradoxalmente, se acentuou com a redemocratização do país. Destruiu-se a escola pública para enriquecer empresários que, em geral, oferecem ao povão um ensino ruim envernizado por instalações físicas razoáveis. Destruiu-se a escola pública e, com isso, fortaleceu-se a pedagogia esquerdista que prega a desordem, não o progresso. Resultado: quedas contínuas no desempenho dos alunos brasileiros nos exames internacionais e da produtividade dos nossos trabalhadores de qualquer nível.

Não haverá democracia no Brasil enquanto não houver escola pública de boa qualidade para todos, inclusive os seus descendentes, leitor de classe média. Não apenas porque ela oferecerá chances iguais a pobres e ricos, mas porque possibilitará a queda do enorme muro que separa as classes sociais. É preciso que ricos possam brincar com pobres no recreio; é preciso que pobres possam brincar com ricos no recreio — e, juntos, aprendam o que vale a pena ser aprendido em sala de aula. E, juntos, deixem de ter medo uns dos outros. E, juntos, prosperem e construam uma nação.

Quero que, no pega-pega, o meu neto leve olé do neto do Estevão.

Pena antecipada para os aposentados roubados

O *Jornal Nacional* mostrou que aumentou dramaticamente o número de aposentados inadimplentes. O motivo é que eles se acharam obrigados a arcar com as necessidades e os desejos dos seus filhos desempregados e netos sem perspectiva. Necessidades e desejos que resultaram em calotes, dada a exiguidade do que recebem por mês.

A crise na Europa já havia mostrado face semelhante — a de velhos que são obrigados a sustentar jovens adultos, numa inversão do que se presumia ser a direção natural das famílias. No Brasil, o problema adquire contornos ainda mais urgentes, porque as redes de proteção sociais são escassas, quando não completamente inexistentes.

Ao deparar com a notícia de que a prisão preventiva de Paulo Bernardo foi revogada por Dias Toffoli, voltei a pensar na reportagem do *Jornal Nacional*. A totalidade dos aposentados em dificuldades caiu no conto do crédito consignado. Ou seja, têm até um terço da sua renda descontado em folha pelo banco que lhes emprestou dinheiro. Com o que sobra, contraíram mais dívidas com financeiras — e, agora, estão sem crédito nenhum.

Segundo a Justiça de São Paulo, Paulo Bernardo chefiava uma organização criminosa que roubou 100 milhões de reais de funcionários públicos e aposentados que viram no consignado a miragem de melhorar o padrão de vida de si próprios e dos que os rodeiam. Era um roubo de formiguinha: cerca de um real por mês de cada devedor, pago a título de taxa de administração para uma empresa que repassava a "mais-valia" a Paulo Bernardo, ao PT e ao resto daquela gente que só queria acabar com a fome no mundo.

Apesar de tamanha perversidade, Paulo Bernardo está solto. Na visão de Dias Toffoli, ele não pode sofrer "antecipação de pena". Mas os coitados que foram enganados pelos arquitetos do consignado, os coitados que foram roubados pelo ex-ministro *et caterva*, como os aposentados inadimplentes do *Jornal Nacional*, estes tiveram as suas penas antecipadas pelo serviço de proteção ao crédito. Para eles, o STF não existe.

Vou ver gente normal

Hoje embarco para Paris.
A minha Paris não tem nada a ver com a Paris dos ladrões que vão torrar o nosso dinheiro por lá. Vou a Paris para ver gente normal.

Gente normal conversa sobre assuntos que não sejam apenas dinheiro e compras.

Gente normal lê livro.

Gente normal não vai a restaurante de boné, nem se veste como prostituta (a não ser que seja prostituta).

Gente normal mantém distância regulamentar de quem não conhece. Não cutuca você ou o chama de "tio" ou "amigão".

Gente normal diz "por favor", "com licença" e "obrigado".

Gente normal respeita fila.

Gente normal, ao volante, dá seta quando vira à direita ou à esquerda (e a seta está sempre no sentido certo).

Gente normal freia o carro para deixar o pedestre atravessar na faixa.

Gente normal não padece com atrasos de ônibus e trens (e é informado dos horários e itinerários nos pontos e estações).

Gente normal nem sequer imagina o que é ter esgoto a céu aberto no meio das cidades.

Gente normal não nada em cocô.

Gente normal está acostumada a ver ruas limpas.

Gente normal não tem falta de luz toda semana.

Gente normal estranha fiação aérea.

Gente normal não sabe o que é buraco no asfalto.

Gente normal não tropeça em buraco na calçada.

Gente normal se habitua à beleza.

Gente normal dificilmente morre assassinada.

Gente normal se escandaliza com assaltos.

Gente normal despreza corruptos e os coloca na cadeia e no ostracismo.

Gente normal não diz que terrorismo é justificável.

Gente normal admira o que lhe é superior e tenta fazer igual, sem achar que sofre de complexo de vira-lata.

Paris é especial porque é normal.

O terror me pegou

No último sábado, fui com meu filho de dez anos assistir ao jogo entre Itália e Alemanha, pela Eurocopa, na *fan zone* do Campo de Marte, em Paris. Fica a cinco estações de metrô da minha casa. Chegamos às oito horas, com o sol de verão alto. Passamos por três revistas e, na segunda, tive de jogar no lixo um frasco de álcool em gel guardado no bolso do meu casaco. Eu adorei jogar no lixo o frasco de álcool em gel guardado no bolso do meu casaco. "A segurança está mesmo excelente", pensei.

A *fan zone* parisiense é um espetáculo: cinco telões de alta definição, uma grande loja de uniformes, bolas e outros souvenirs, diversões futobolísticas para crianças, uma arquibancada montada pela Coca-Cola e barracas de comida e bebida — tudo emoldurado pela Torre Eiffel.

Já no final do segundo tempo, perto de uma das saídas, diante do telão mais próximo da arquibancada da Coca-Cola, eu torcia para a Itália aguentar a *blitzkrieg* alemã, enquanto a poucos metros meu filho fazia embaixadinhas com a bola que lhe dera de presente. Absorto no jogo, demorei alguns segundos para acreditar que centenas de pessoas se atropelavam na nossa direção.

Gelei. Só podia ser um atentado. Alcancei meu filho, colei a minha mão na dele e corremos para longe da *fan zone*, imersos na multidão. Foi o que fizemos nos dez, quinze minutos seguintes:

correr. Sem saber se nos perseguiam, cruzávamos com militares que avançavam com metralhadoras. "Todos para fora do perímetro! Todos para fora do perímetro!", ordenavam.

Parei quando os meus 54 anos começaram a ofegar, a quase um quilômetro do Campo de Marte. Meu filho tremia, eu procurava ar, até que consegui perguntar a um policial o que havia ocorrido. "Ainda não sabemos", disse ele. Ganhei uma garrafa de água mineral.

Telefonei para a minha mulher. Ela não vira nada na televisão ou na internet. No dia seguinte, divulgaram o que ocorrera: uma escaramuça entre alemães e italianos foi confundida com um ataque terrorista. Cerca de trinta torcedores se machucaram na correria.

Entre o frasco de álcool em gel jogado no lixo durante a revista e a garrafa de água mineral oferecida pelo policial, a minha paz se liquefez. O terror não me feriu, não feriu o meu filho, mas me pegou e pegou o meu filho.

É o que eles querem.

A metamorfose

Quando acordei na primeira manhã em Praga, depois de sonhos intranquilos, eu havia me metamorfoseado num inseto. Como poderia ser diferente? Estava num país que, independente do Império Austro-Húngaro somente em 1918, após a Primeira Guerra Mundial, havia sido barbarizado pelos nazistas ao longo de sete anos, ocupado pela Rússia soviética durante mais de quarenta, se desmembrado da Eslováquia em 1993 — e, no entanto, conquistado níveis de excelência por todas as métricas disponíveis.

Com pouco mais de vinte anos de liberdade política e econômica, os tchecos privatizaram estatais, puseram a sua juventude para estudar de verdade (nada de marxismo), reabilitaram a sua indústria, revitalizaram a sua linda capital, dinamizaram o turismo, entraram para a União Europeia e passaram a exibir um padrão de vida próximo ao das grandes nações ocidentais.

Enquanto isso, o que fizemos nas últimas duas décadas — ou melhor, nos quase duzentos anos de independência? Fizemos o que os insetos fazem: avançamos poucos metros por dia, a maior parte das vezes andando em círculos ou abertamente para trás, sujamos o percurso como baratas e, neste momento, lá estamos nós outra vez com as perninhas para o alto, tentando tirar a parte cascuda do chão. Tudo para voltar a avançar poucos metros por dia, a maior parte das vezes andando em círculos ou abertamente para trás.

Está longe de ser apenas uma imagem entomológico-literária. No ranking mundial de competitividade, para ficar num exemplo chocante do nosso atraso mental, recuamos pelo sexto ano consecutivo, agora para o 57º lugar, enquanto a República Tcheca ganhou posições (figura em 27º). A contínua perda de competitividade nos transforma em baratas tontas.

Os tchecos têm Praga; os brasileiros são uma praga para si próprios.

O rebolado de Anitta Meirelles

Li em *O Globo* que Caetano Veloso, Gilberto Gil e Anitta (outra dessas mocinhas calipígias, com o nome igualmente arrebitado por duas letras repetidas) foram convidados para cantar na festa de abertura dos Jogos Olímpicos do Rio. Achei que lia notícia velha, já que faltam apenas 26 dias para o espetáculo. Não, é notícia fresca. E mais: estão na dúvida se cantarão acompanhados por uma orquestra ou apenas por violões.

Mesmo que a música escolhida seja a batida "Isto aqui, ôô, é um pouquinho de Brasil, iaiá", de Ary Barroso, seria mais prudente que tudo estivesse ensaiado. Tive a felicidade de assistir *in loco* à abertura dos Jogos de Pequim, em 2008, e garanto que nada daquela maravilha foi de última hora.

A abertura dos Jogos Olímpicos é um show planetário, com um público nunca menor do que dois bilhões de telespectadores. Eu não sei fazer show, mas sei que o mundo vai torcer o nariz ao ouvir Caetano Veloso, Gilberto Gil e Anitta cantando Ary Barroso, com ou sem orquestra. O Caetano e o Gil chineses não foram convocados para se apresentar no Ninho de Pássaro, em Pequim, e duvido que eles tenham uma Anitta. Talvez a nossa Anitta salve um pouco a Pátria se a metade masculina dos dois bilhões de telespectadores a vir rebolando (imagino que ela rebole), preferivelmente de short e salto alto. Se não acabar a luz, claro.

O problema do Brasil não é rebolar com o traseiro e sim com o cérebro. Rebolado de cérebro chama-se improvisação. Parece claro que, a esta altura, vamos improvisar bastante na abertura dos Jogos Olímpicos. Improvisação mata de vergonha e também fisicamente, como demonstra o caso da ciclovia carioca que desmoronou por causa de uma onda. Apesar de toda a vergonha que passamos e todas as mortes que causamos, insistimos em improvisar.

Rebolar com o cérebro pode, ainda, arruinar a economia de uma nação. Eu começo a achar que Henrique Meirelles é a nossa Anitta no ministério da Fazenda. Assim como ela, tem duas letras repetidas. Além disso, embora tenha à disposição uma orquestra de notáveis, parece inclinar-se para o sambinha no violão que fazia a alegria dos petistas. Não o sambinha de uma nota só, mas o de bilhões delas, saídas do bolso dos pagadores de impostos.

Anitta Meirelles rebola à nossa frente, repetindo o diagnóstico sobre a situação brasileira que o mundo está cansado de saber e gosta de ouvir. Eu espero que ele termine logo o seu show, pare de gastar nos bastidores e siga o roteiro da austeridade, antes que acabe a luz deste Brasil brasileiro.

Nice, a narrativa e a Lava-Jato

O ataque em Nice é mais uma prova de que o governo francês é uma porcaria, assim como a polícia e os serviços de informação a ele subordinados. Como jornalista, no entanto, não posso deixar de admirar o ritual narrativo que segue cada atentado.

Depois de descoberta a identidade do terrorista, ou terroristas, e esclarecidos o número de vítimas e as circunstâncias gerais do ataque, o procurador de Paris chama a imprensa para descrever tudo aquilo que as autoridades sabem a respeito do assunto até aquele momento, bem como o que não sabem.

O texto é cristalino e lido no tom certo — nem emotivo, nem monocórdio. A gramática também escapa completamente ilesa, como sói acontecer nestas latitudes ao norte. Tradição literária ajuda nessas horas.

A descrição do procurador de Paris confere sentido ao que parece não ter o menor sentido. Organiza a investigação policial que ganhará mais detalhes nas semanas seguintes, serve de ponto de partida para as interpretações que tomarão o noticiário e esboça outro capítulo da história do país. Não menos relevante, dá início ao luto nacional e aos lutos individuais de quem perdeu familiares e amigos. De certa forma, é como o epílogo de uma tragédia grega.

Tudo é o exato contrário do que costuma ocorrer no Brasil. Quase não temos narrativas e, quando tecidas, elas pecam pela obscuridade ou mentira deslavada até mesmo para os generosos limites da política.

É na falta de tradição narrativa que Lula e os seus aliados apostam para deturpar o que a Lava-Jato vem contando de maneira ainda demasiado técnica. Talvez seja o caso de a República de Curitiba contratar o procurador de Paris para lhe dar mais clareza. O nome dele é François Molins.

Psicologia de newsletter

Eu me pergunto por que brasileiros adoram chorar, fenômeno francamente observável entre atletas.

Em 2008, em Pequim, eu estava na entrevista coletiva de César Cielo, que havia acabado de conquistar a medalha de ouro olímpica nos 50 metros livres. Ladeado por dois nadadores franceses, prata e bronze, o sujeito desatou a chorar para a surpresa dos rivais e dos jornalistas estrangeiros. "Por que ele está chorando se acabou de ganhar o ouro?", me indagaram.

Eu poderia ter dito que as lágrimas eram por causa do esforço de uma vida, das dificuldades que Cielo se viu obrigado a enfrentar para chegar à vitória suprema, mas respondi que ele chorava porque era brasileiro — e brasileiros choram copiosamente na alegria e na tristeza. Apesar de estranha, era a resposta mais honesta a ser dada naquele momento.

É claro que estrangeiros vertem lágrimas quando ganham ou perdem, mas a frequência do choro entre nós é bem mais alta do que o admissível ou suportável. Ontem, por exemplo, a seleção de vôlei masculina foi derrotada pela Sérvia na disputa pelo título da Liga Mundial — e teve marmanjo em quadra chorando para chuchu, apesar de o time ser vencedor em inúmeros campeonatos e torneios.

De tanto me perguntar sobre o assunto, criei a teoria barata de que os brasileiros choram muito porque sofrem do que chamaria de "complexo de bebês". Na falta de linguagem, bebês desatam a chorar por ser a única maneira de chamar a atenção. Em nossa afasia secular, o enorme déficit de linguagem impede que expliquemos com objetividade perdas e conquistas e expressemos sentimentos sem ridicularias lacrimais.

O "complexo de bebês" comporta igualmente um permanente estado de desamparo. Quando perdemos, queremos voltar para o colo da mamãe distante ou imaginária. Pior: quando ganhamos, também. É como se nos fosse vedado andar com as nossas próprias pernas, ser independentes. Afinal de contas, quem cresce (e se cresce por meio de derrotas e vitórias) não tem mais o colo materno para se aninhar. O nosso choro nas mais diversas situações — até o de canalhas diante do juiz — demonstra a necessidade de continuarmos infantis, a relutância em amadurecermos, sempre de acordo com a minha teoria barata.

Brasileiros adoram chorar e gostam de ver outros brasileiros debulhando-se em lágrimas. A televisão é prova disso: quando há gente chorando em noticiários ou programas de auditório, a audiência dispara. O entrevistado começa a tremer a boca, cobre o rosto com as mãos — e o câmera dá um zoom, enquanto o repórter ou o apresentador tentam provocar ainda mais lágrimas, sem nenhum pudor. Eu cheguei a pensar que se tratava de sadomasoquismo, mas hoje acho que gostamos de ver refletidas no outro a incapacidade de julgarmos racionalmente e a vontade de chafurdarmos no retardamento psicológico.

A minha teoria barata do "complexo de bebês" encontra paralelo na balela disparada por sociólogos, historiadores e políticos que afirmam ser o Brasil um "país jovem". Os Estados Unidos são mais jovens; o Canadá é mais jovem; a Austrália é mais jovem; a Nova Zelândia é mais jovem. Até a Alemanha e a Itália são mais jovens como nações unificadas. E, no entanto, os seus habitantes não

choram como recém-nascidos. Eles cresceram, viraram adultos —
e adulto chora, tem o direito de chorar, mas raramente, porque, do
contrário, é ridículo, infantil, imaturo.

Eu duvido de que amealharemos dez medalhas de ouro nos Jogos
Olímpicos do Rio, mas tenho certeza de que vamos chorar bastante.

Fim da psicologia de newsletter.

Fuja de quem se vende como antipolítico

Mentir é o primeiro atributo de um político. Qualquer político. As suas mentiras podem ser mais ou menos escandalosas, mais ou menos desculpáveis, mas lhe são incontornáveis. Mesmo os bem-intencionados mentem. Por exemplo, quando dizem que fazem política para servir aos cidadãos em primeiro lugar. Na verdade, todos querem, acima de tudo, servir a si próprios, nem que seja apenas para alimentar a própria vaidade.

Isso significa que devemos nos resignar e aceitar as mentiras que nos são ditas? Claro que não. É justamente o contrário: pelo fato de todos os políticos mentirem, sempre devemos desconfiar deles. Os mais desconfiados devem ser os jornalistas. Eu, por exemplo, sei que até os políticos que me dão informações estão deixando de me dizer toda a verdade sobre o assunto em questão. Omissão, nesse caso, é uma forma de mentir. Se omitem o secundário, mas revelam o principal, faço cara de paisagem e sigo adiante.

O problema é quando passam por principal aquilo que é acessório. Esse é um problema que os repórteres enfrentam todos os dias. Não raro, ainda que tomadas as precauções devidas, só percebemos que publicamos o secundário como notícia principal depois que outro jornalista mais esperto, ou com outra fonte (ou ambas as coisas), estampa o nosso erro na sua reportagem.

Decidi abordar a mentira dos políticos para falar de Donald Trump e concluir com o caso brasileiro. Donald Trump se vende como antipolítico aos eleitores americanos — ou seja, como alguém que veio instaurar a verdade, toda a verdade, nada além do que a verdade na política. Que veio "purificá-la". No entanto, o seu primeiro atributo é o mesmo de todos aqueles que afirma combater. Donald Trump mente para burro, com o perdão do trocadilho voluntário.

O *Washington Post* fez um *fact-checking* do discurso de aceitação de Donald Trump como candidato republicano à Presidência dos Estados Unidos. O jornal comprovou, com dados objetivos, que ele mentiu em 25 pontos. Vinte e cinco, se você prefere por extenso. Mentiu sobre segurança. Mentiu sobre imigração. Mentiu sobre economia. Mentiu, mentiu e mentiu. E vai continuar mentindo na hipótese improvável de derrotar a mentirosa Hillary Clinton.

Donald Trump é a prova mais vistosa de que uma das grandes mentiras da política é o fanfarrão que se apresenta como antipolítico. É assim, pelo menos, desde Savonarola, na Florença do século XV. Seja ele de direita ou de esquerda, o seu messianismo é sempre uma fajutagem. Com Lula, os brasileiros caíram pela esquerda na esparrela do antipolítico. Lula piorou os vícios brasilienses que prometia banir.

Desconfiar dos políticos é, mais do que saudável, necessário. Mas evitar os que se dizem antipolíticos é essencial. Fuja deles.

Socialista fabiano e careca

Um ex-amigo costumava dizer que eu era "para-raios de maluco". Demorei a descobrir que ele era maluco. Sou um para-raios de maluco muito lento.

O meu ex-amigo dizia isso porque, mesmo sem motivo suficiente, um monte de gente desconhecida gosta de me xingar. Não estou reclamando ou me vitimizando. É uma constatação. Basta dar uma espiada na área de comentários de O Antagonista. Sou mais xingado do que o Diogo e o Claudio, até quando não sou o autor dos posts que provocaram a ira dos leitores que partem para cima de mim. Até quando estou de férias me xingam.

Duas delicadezas: ser chamado de "socialista fabiano" e "careca". "Socialista fabiano", acho eu, é porque vivo parte do tempo em Paris — e, claro, todo francês ou simpatizante só pode ser socialista. Eu nem sabia o que é ser "socialista fabiano", porque não me interesso por esse tipo de assunto, mas me senti compelido a fazer uma rápida pesquisa na internet. Concluí que o socialismo fabiano, um troço inglês, é parecido com a social-democracia. Se não errei na comparação, estou um tantinho à direita. Gregório Duvivier me definiria "hidrófobo", como fez hoje na sua coluna na *Folha de S.Paulo*, em relação a colegas de jornal que não partilham do seu esquerdismo.

Quanto a "careca", bem, sou careca. A minha calvície começou aos 19 anos. Fui um careca precoce de verdade, ao contrário do lugar-comum sobre calvície citado por Gustave Flaubert, no seu *Dicionário de ideias aceitas*: "Sempre precoce, é causada por excessos da mocidade ou a concepção de grandes ideias." A ironia hormonal com a precocidade é evidente e, até o século XIX, havia quem associasse calvície a inteligência. Citei Flaubert, grande escritor francês, porque, obviamente, sou socialista fabiano — e a Inglaterra está logo ali, do outro lado do Canal da Mancha.

No início da queda de cabelo, não escondi o incômodo. Você acorda com o travesseiro cheio de fios soltos e, no banho, a sensação de perda é literalmente palpável. Nunca passei, contudo, do shampoo de babosa para tentar reverter um processo geneticamente inexorável. Seis meses depois de começar a ficar careca, abandonei o shampoo de babosa e não me preocupei mais com o assunto. Ser careca jamais me impediu de namorar moças bonitas, o único dado que importa. Não acho que é dos carecas que elas gostam mais, mas tenho certeza de que a carência capilar masculina é uma preocupação feminina tão rara quanto os meus fios de cabelo.

Ao me tornar quarentão, descobri que, quando você é jovem, a calvície o envelhece; já quando você é velho, a calvície o rejuvenesce, se você deixar bem curto o que lhe restou de cabelo. Eu deixo bem curto, porque o que me restou de cabelo cresce desigualmente — a vantagem rejuvenescedora foi um bônus. De qualquer forma, ela não me distancia em demasia da minha idade real, 54 anos.

Hoje em dia, ninguém xinga outra pessoa de "perneta" ou "maneta". Deficiências físicas não devem ser apontadas, em especial para depreciar alguém, porque é politicamente incorreto e talvez renda processo. Tendo a crer que, ao me chamarem de "careca", os meus detratores têm a sua revanche do politicamente correto, mas de forma segura — apontam o que julgam ser um defeito físico, sem correrem riscos sociais ou judiciais. É uma bobagem, visto que a falta de cabelo não tem as implicações da falta de um membro superior ou inferior. Nem dá direito a participar da Paralimpíada.

Quem me xinga de "careca" também acredita, imagino, que tenho o metro estético de quem fez implante, como Renan Calheiros e José Dirceu. Em hipótese nenhuma faria implante, assim como não pintaria o cabelo se dispusesse de farta ou rala cabeleira, como Edison Lobão ou José Sarney. Sou o exato oposto dessa gente, inclusive em matéria capilar.

Para finalizar, quero dizer que podem continuar me xingando. De "socialista fabiano", "careca" e o que mais for. Como não vejo nada errado em quem é gay, sintam-se livres, ainda, para me chamar de "veado" ou epítetos semelhantes. Uma das minhas poucas conquistas é não me ofender mais com esse tipo de coisa. Aos meus detratores, ofereço uns versinhos de Millôr Fernandes:

> *Ontem hoje*
> *E amanhã*
> *O homem o cabelo parte*
> *Parte o cabelo com arte*
> *Até que o cabelo parte.*

Não vaie, vote (útil)

Acompanhei as convenções republicana e democrata pela TV. Como sempre, elas reuniram um monte de gente esquisita. Mas o teatro da política americana é fascinante. Os discursos democratas deste ano foram, de longe, os melhores — nas mentiras, na demagogia, nas piadas, no *timing*. Também desse ponto de vista Donald Trump fez um estrago entre os republicanos.

Ninguém se mostrou entusiasmado com a sua candidatura, a não ser ele próprio, e isso se refletiu nas falas sem graça dos caciques do *Grand Old Party*. A belíssima Melania Trump foi divertida inadvertidamente, por causa do sotaque esloveno e do plágio de um discurso antigo de Michelle Obama. Eu queria muito mais. Infelizmente, falta alguém que bata na cintura de Ronald Reagan.

Barack Obama foi um presidente desastrado em vários aspectos, mas é inegável que se trata de um *showman* acima da média de Washington. No seu discurso em apoio a Hillary Clinton, ao citar Donald Trump, ele calculadamente respondeu às vaias com um slogan que já pegou: "Não vaie, vote." Em português, a aliteração o torna ainda mais atraente.

Nos Estados Unidos, como nos demais países civilizados, o voto não é obrigatório. Essa é uma das grandes preocupações dos democratas, se não a maior — que um monte de gente desiludida deixe de ir às urnas e a abstenção maciça dê a vitória a Donald

Trump. Eles sabem que a rejeição à mentirosa Hillary Clinton é enorme, mas contam que o nojo ao adversário estimule aos cidadãos a tapar o nariz e fazer voto útil.

Donald Trump é nojento porque chama mulheres de "porcas" e mexicanos de "estupradores", ridiculariza deficientes físicos, dá trambiques em pequenos empresários e estudantes e elogia Vladimir Putin como modelo de liderança. Muita gente também se incomoda com o seu narcisismo. Há dezesseis anos, o conservador William F. Buckley, fundador da *National Review*, escreveu a frase definitiva sobre essa patologia do candidato republicano: "Se Donald Trump tivesse outro molde, ele competiria no concurso de Miss America" (já Lula disputaria o Miss Garanhuns).

No Brasil, onde o voto é obrigatório, quase 28% dos eleitores deixaram de votar em 2014, ao somarmos abstenções, brancos e nulos. Dá mais de 30 milhões de pessoas, quase uma Argentina. Eu tendo a crer que, houvesse esse contingente votado, Aécio Neves teria ganhado. No entanto, a oposição, cheia de pruridos, não fez campanha pelo voto útil e ajudou a empurrar para a frente a criatura do nosso Donald Trump com sinal ideológico trocado.

Muita gente acha que voto útil é sinal de despolitização e falta de informação. Eu acho o contrário. Para mim, só existe voto útil. Como resumiu o meu amigo Diogo, democracia é uma forma de substituir um bandido por outro. O rodízio de bandidos é essencial para dificultar a vida deles e, assim, tentar com que o país avance. Só não dá para promover esse rodízio quando o bandido da oposição é pior do que o bandido da situação. Aí o negócio é ficar com o que se tem. É nisso que aposta o Partido Democrata americano.

Eu espero que nas eleições brasileiras o voto útil passe a ser o instrumento para tirar quem deve ser tirado e manter quem precisa ser mantido, na falta de coisa melhor.

Não vaie, vote (útil).

Letícia Sabatella, segundo Elias Canetti

Letícia Sabatella causou confusão ao meter-se numa manifestação pró-impeachment de Dilma Rousseff, em Curitiba. A atriz disse que estava apenas passando pela praça onde se concentravam os manifestantes e parou para conversar com uma senhora. Letícia Sabatella afirmou que se encaminhava a outra manifestação, contra Michel Temer, marcada para o mesmo horário. A atriz foi hostilizada e acabou na polícia, para queixar-se dos xingamentos que recebeu. Por ser famosa, ganhou a atenção da TV e da imprensa em geral.

É claro que se tratou de uma provocação de Letícia Sabatella. Assim como colegas seus igualmente esquerdistas, ela quer mostrar como a direita é "fascista" e o "país está dividido". Na verdade, qualquer massa, não importam as motivações que levaram à sua formação, é refratária àqueles que vê como adversários ao seu crescimento, como explica Elias Canetti, no admirável *Massa e poder*.

Escreveu ele: "Dentre os traços mais notáveis na vida de massa encontra-se algo que se poderia denominar um sentimento de perseguição, uma particular e irada suscetibilidade e irritabilidade em relação àqueles que ela caracteriza definitivamente como inimigos. Façam estes o que quer que façam — comportem-se eles com rispidez ou simpatia, sejam solidários ou frios, duros ou brandos —, tudo é interpretado como proveniente de uma inabalável malevolência, de uma disposição hostil à massa: um propósito já firmado de, aberta ou dissimuladamente, destruí-la."

Desse modo, a aparição de Letícia Sabatella na manifestação em Curitiba não poderia resultar em outra coisa que em insultos à atriz. O mesmo ocorreria se Regina Duarte resolvesse dar uma paradinha numa manifestação petista. Ela também seria vista como uma figura ameaçadora e, portanto, passível de ser xingada ou vaiada. Não é necessariamente fascista hostilizar quem discorda da massa no ambiente em que ela se concentra e quer ampliar-se. A massa obedece a mecanismos internos próprios (desnudá-los é o escopo do estudo de Elias Canetti) e o uso que se faz dela é que pode ser classificado de fascista, totalitário de esquerda — o que dá na mesma — ou democrático.

Ninguém precisa ler *Massa e poder* para saber que Letícia Sabatella quis provocar. Mas quem leu *Massa e poder* sabe que os desaforos que ela recebeu não foram uma demonstração fascista, por piores que tenham sido. A massa é um organismo que rejeita corpos que lhe são estranhos.

Você já errou ao fazer a coisa certa no momento errado?

O utro dia me perguntaram qual havia sido o grande erro que cometi na vida.

Embatuquei. Foram tantos. Pedi para que o sujeito delimitasse o campo: familiar, amoroso, intelectual ou profissional? Ele respondeu "profissional".

Não tive dúvida: o meu maior erro foi tentar sair do jornalismo, desobedecendo à máxima de Sêneca, o pensador romano, segundo a qual, para sermos felizes, devemos "estabelecer antecipadamente o que buscamos atingir e, depois, examinar por onde podemos chegar lá mais rapidamente, desde que seja pelo caminho certo". Eu havia me desviado do caminho que traçara para mim e me dei mal.

O meu interlocutor não se satisfez com Sêneca e pediu para que eu fosse pontual: qual havia sido o grande erro que eu cometera no jornalismo?

Pensei em quase todas as bobagens que escrevi (difícil lembrar de todas, quando se tem 32 anos de profissão), mas nenhuma me pareceu forte o suficiente para saciar a súbita vontade de penitenciar-me. Passados longos cinco minutos, afirmei que o meu grande erro profissional havia sido ter feito a coisa certa no momento errado.

Em 1998, quando assumi o cargo de editor-executivo de Artes e Espetáculos da revista *Veja*, fui incumbido pelo então diretor de redação de dar uma espanada na poeira que se depositara na editoria. Uma das minhas providências foi criar a seção "Veja Recomenda", para cobrir mais extensamente o mercado cultural. Além disso, decidi tornar a lista de livros mais vendidos rigorosa e semanal. Havia anos, a lista era elaborada de qualquer jeito por um funcionário da produção da revista, a partir dos relatórios enviados pelas livrarias, e publicada apenas quando sobrava espaço nas páginas da editoria, sem periodicidade definida.

Determinei que a lista entraria toda semana, na seção recém-nascida, e que seria feita pelo jornalista encarregado de cobrir a área de livros, com a ajuda de um programa de computador que cruzaria as informações prestadas pelas livrarias, para evitar que eventuais discrepâncias entre os dados fornecidos falsificassem o resultado.

Em 2004, já na condição de redator-chefe, lancei o meu primeiro romance, *O dia em que matei meu pai*. Nos relatórios enviados pelas livrarias e cruzados pelo programa de computador, o romance ficou, nas duas semanas seguintes, logo abaixo do décimo lugar, portanto fora da lista. Até que, na terceira semana após o lançamento, a Editora Record, que publica os meus livros, entrou em contato comigo para dizer que a revista andava classificando títulos de não ficção como ficção. Os títulos eram *Perdas & ganhos* e *Pensar é transgredir*, ambos de Lya Luft, e *As filhas da princesa*, de Jean P. Sasson, que havia passado à ficção de uma semana para outra. A Record disse, ainda, que *As mentiras que os homens contam*, de Luis Fernando Verissimo, não podia ser considerado "ficção", visto que um quarto do livro era composto por textos não ficcionais (afora a eterna discussão sobre se crônicas jornalísticas, mesmo quando recorrem à fantasia, podem ser consideradas ficção).

A editora estava certa: a lista de mais vendidos de *Veja*, que ganhara rigor e peso seis anos antes, havia errado. Subvertia categorias e posições. No caso de *As mentiras que os homens contam*, por ter sido incluído em ficção, o livro havia deixado de entrar na lista na semana anterior, como vim a constatar. Ou seja, Luis Fernando Verissimo fora prejudicado ao máximo. Os equívocos haviam sido gerados pelas próprias livrarias, que trocaram as categorias desses títulos, e continuados pelas falhas nos controles da revista.

A questão me colocava numa situação de conflito de interesses bastante peculiar — se eu corrigisse a lista, o meu romance entraria entre os dez mais vendidos, o que obviamente me beneficiava; se não corrigisse, eu não entraria, mas estaria falsificando mais uma vez a informação, lesando igualmente outros autores.

Ouvi os jornalistas envolvidos na elaboração da lista e o diretor de redação. Todos afirmaram que deveríamos corrigi-la. A responsabilidade, no entanto, foi integralmente minha. Resolvi ir adiante nas correções, com a publicação de um box, ao lado da lista, para explicá-las. O meu romance acabou entrando, por uma única semana, no último lugar entre os mais vendidos. É óbvio que fiquei contente, mas com certo desconforto. Não teria sido melhor corrigir a lista só depois que o meu livro tivesse sumido do pedaço?

Em 2008, quatro anos mais tarde, quando virei alvo dos blogueiros sujos por causa do mensalão, esse episódio se voltaria contra mim. Fui acusado de falsificar a lista para que o meu romance figurasse nela. Abriram-se as portas do inferno: expuseram a minha vida particular, porque namorava a diretora editorial da Record, e inventaram que eu mandava subordinados escreverem resenhas positivas sobre os meus livros na *Veja* e até as editava (só faltaram dizer que eu fazia o mesmo nos concorrentes que me elogiaram). Reinaldo Azevedo, gentilmente, abriu espaço para que eu me defendesse na internet, mas a minha defesa só fez aumentar a sanha dos bucaneiros do PT. Errei ao fazer a coisa certa no momento errado, porque também abri um flanco para os inimigos.

Depois de contar essa história ao meu interlocutor, perguntei-lhe se ele havia feito algo semelhante. Estou esperando a resposta.

E você, prezado leitor, já errou ao fazer a coisa certa no momento errado?

Recomendações a Michel Temer

Agora que o impeachment de Dilma Rousseff é irreversível, temos de nos haver com Michel Temer na sua plenitude mesoclítica e mesozoica. Dessa condição de político antiquado, ele tem a chance de passar à história como o presidente que conseguiu recolocar o país na rota do crescimento econômico, depois de quase treze anos de lambanças descomunais — que o tiveram como cúmplice omisso, na melhor das hipóteses.

Ele já recolocaria o Brasil nos trilhos se errasse o menos possível. Errar o menos possível significa cortar gastos e levar a corrupção endêmica aos patamares pré-petistas. Michel Temer poderia almejar mais, aproveitando-se da sua impopularidade, e fazer reformas estruturais, como a trabalhista, a fiscal e a previdenciária. No entanto, o fato de ser mesozoico talvez o impeça de seguir adiante. Cogitar candidatar-se a presidente em 2018, por exemplo, é uma característica bastante mesozoica. Dinossauros relutam em aposentar-se e costumam sair de cena somente quando atingidos por um meteoro gigante.

Para que Michel Temer cumpra o seu ano e meio de mandato de forma tranquila, não apenas a questão econômica tem de ser apaziguada. As policiais e políticas também.

Acima de tudo, ele não pode ser enredado pela Lava-Jato. Já veio à tona que o PMDB levou 10 milhões de reais em espécie da

Odebrecht, em 2014, depois que Michel Temer pediu "apoio financeiro" ao incontornável Marcelo, em jantar no Palácio do Jaburu. O presidente confirmou o jantar e que pediu dinheiro, "dentro dos limites da legalidade". Parece conto da carochinha, mas talvez seja difícil obter provas concretas contra Michel Temer. A ver.

Graças à autonomia da Lava-Jato, Michel Temer não terá como deter as investigações. Em outros aspectos, porém, é recomendável que ele aja.

José Yunes, o seu assessor especial, representa um enorme risco de embaraços. Há boataria a respeito das relações perigosas entre ele e o presidente. Meu conselho a Michel Temer: afaste-o de Brasília. Outro personagem que deveria ser gentilmente convidado a sair do governo: Geddel Vieira Lima. Digamos que as suas latitudes são demasiadamente largas, assim como as de Moreira Franco.

Por último, Henrique Meirelles. Não é possível que o Brasil tenha, neste momento de crise profunda, um ministro da Fazenda com pretensão de ocupar cargo eletivo. Tal pretensão o leva a fazer concessões na austeridade necessária — como, aliás, vem fazendo, inclusive por inabilidade no trato com parlamentares. Na minha opinião, Henrique Meirelles não foi uma boa escolha. É um sujeito de muito gogó e, segundo quem entende do assunto, pouco conhecimento na área fiscal. O ideal seria contar com um ministro da Fazenda sem pretensões políticas, perseverante no caminho do ajuste (inclusive para não deixar Michel Temer cair em tentações), com conhecimento profundo da máquina estatal e da Constituição, além de hábil em negociar com o Congresso e avesso a plantar notinhas na imprensa.

Como tirar Henrique Meirelles seria traumático neste momento, Michel Temer precisa contê-lo. É o contrário do que ocorre.

Ajude-se, presidente, a ter boa sorte.

Eles são todos republicanos

Em fevereiro de 2005, pouco antes da eclosão do mensalão, publiquei em Veja um artigo sobre uma palavra que começara a frequentar o discurso político brasileiro: "republicano".

Passada mais de uma década — e muitos escândalos depois —, acho que o artigo permanece atual, ao mostrar não só como os nossos homens públicos empilham palavras vazias em nossos ouvidos, mas como o lulismo era uma empulhação.

Em dezembro de 2004, Lula havia lançado o "Pacto de Estado em favor de um Judiciário mais rápido e republicano". Pois é, o acusado de obstruir a Justiça, entre outros crimes.

Eis o que escrevi, com ligeiras modificações:

Uma palavra imiscuiu-se nos discursos dos próceres petistas, em sua forma adjetivada: "republicano". Salvo engano, o primeiro a empregá-la foi o professor Luizinho, líder do governo na Câmara. Ele disse que uma operação da Polícia Federal colocou em risco o processo republicano. O presidente Lula não perdeu a deixa e, numa reunião ministerial realizada dias depois, afirmou: "Herdamos uma máquina administrativa ineficiente, desprovida, em boa parte, do sentido republicano, sem vocação para realizar políticas em proveito da maioria." No mesmo mês de dezembro, Lula lançou o "Pacto de Estado em favor de um Judiciário mais rápido e republicano".

A porta estava aberta para que os petistas usassem o termo com a prodigalidade com que os coronéis nordestinos andam distribuindo cartões do Bolsa-Família. Um dos que mais reincidem é o ministro da Educação, Tarso Genro, aquele que posou ao lado do ditador cubano (e republicano) Fidel Castro. Genro disse que a política de cotas nas universidades era "republicana, inclusiva, democrática".

Como o sistema de governo brasileiro deixou de ser monárquico em 1889, quando foi proclamada a República, e não parece haver no horizonte ameaça de reinstauração do antigo regime capitaneado pela família Orleans e Bragança, é intrigante a adoção do adjetivo pelos petistas e a insistência na sua utilização. Uma escarafunchada nos jornais mostra que o motivo não é insondável. O pessoal do PT brande a palavra em resposta ao ex-presidente Fernando Henrique Cardoso. Em artigo publicado num jornal paulista, sobre a renhida campanha eleitoral para a prefeitura de São Paulo, FHC comentou que havia "sinais inquietantes de perda do sentimento genuinamente republicano de conduzir o processo político". Resumindo: depois que o tucano disse que os petistas não são republicanos, os petistas começaram a repetir tal qual o corvo do escritor americano Edgar Allan Poe: "Somos, sim; somos, sim."

As palavras têm história — e a de "república" é longa, complicada e com final infeliz. A sua origem remonta à Roma Antiga, quando o regime da *res publica*, "sem um único soberano e de atenção à coisa pública, ao bem comum, à comunidade", substituiu o dos reis, a *mona archia*, "o governo de um só homem". Deu em César. A palavra viria a ser utilizada por Platão, para imaginar a "sociedade perfeita", onde os filhos seriam retirados dos pais e, uma vez educados sem vícios, selecionados para posições que perpetuariam a harmonia e a Justiça. O totalitarismo moderno beberia indiretamente dessa fonte.

De palavra que designava oposição à monarquia, a palavra "república" passou, nos séculos seguintes, a conceituar qualquer sistema, inclusive o monárquico, que se definisse contrário a governos tirânicos. Mais adiante, no Renascimento, Maquiavel constatou que "república" era a denominação de um sistema aplicável apenas a pequenos territórios, caso das repúblicas que compunham a colcha de retalhos do que mais tarde viria ser a Itália. Com as revoluções americana e francesa (que foi mais "republicana" na época do Terror), a palavra "república" perde a conexão com a territorialidade e, no caso da americana, liga-se à democracia representativa. No rastro delas, pipocaram repúblicas nas ex-colônias do Novo Mundo que dispensam comentários sobre o seu sucesso.

O advento do comunismo propiciou o aparecimento das "repúblicas populares", em que a democracia representativa dá lugar à ditadura do proletariado. Havia a União das Repúblicas Socialistas Soviéticas, como há ainda a República Popular da China, a República de Cuba e a República Democrática da Coreia. Para não falar dos sistemas de estrutura tribal africanos, originados da descolonização, que também se autodenominam "repúblicas", como a República do Congo e a República de Uganda. Ou seja, todos eram ou são "republicanos": de Thomas Jefferson e James Madison a Lenin, Fidel Castro e Idi Amin Dada.

No Brasil, o ditador Getúlio Vargas era "republicano", bem como o presidente bossa-nova Juscelino Kubitschek e o general linha-dura Emílio Garrastazu Médici. Genuinamente, se perguntados. Pode haver um final mais infeliz para uma palavra do que perder o significado exato?

Assim, quando batem no peito e se dizem "republicanos", não se sabe ao certo o que os petistas querem dizer. Se desejam afirmar-se "partidários da democracia representativa", é uma bobagem sem tamanho, visto que há monarquias bem mais democráticas do que muitas repúblicas, como a Inglaterra e a Suécia. Talvez não queiram dizer nada e tudo não passe mesmo de uma pinimba com FHC. Mas não é impossível que, por trás do termo que serve de abrigo a um saco de gatos, petistas escondam ainda a vontade de instituir uma república de caráter "popular", como a de Cuba.

Para evitar mal-entendidos, recomenda-se aos políticos brasileiros (não só os petistas) que abandonem conceitos e palavras vagos. Ser "republicano" pura e simplesmente não tem sentido. E de sentido é que a política brasileira mais precisa.

O dia em que fui indiciado

No dia 29 de janeiro de 2008, a Polícia Federal indiciou-me na esteira do escândalo dos aloprados. Durante dois anos, o redator-chefe da revista *Veja* permaneceu como o único indiciado nessa vergonha.

Em 15 de setembro de 2006, pouco antes do primeiro turno das eleições, petistas foram presos pela PF num hotel de São Paulo, com o equivalente a mais de 1,7 milhão de reais em espécie. O dinheiro era para comprar um dossiê falso contra José Serra, que concorria contra Aloizio Mercadante ao governo de São Paulo. Como de hábito, Lula correu para dizer que não tinha nada a ver com aquilo, que se tratava de "um bando de aloprados".

Reuni um editor-executivo e três repórteres para fazer uma reportagem sobre o caso. A missão era obter a foto da dinheirama — mantida sob sigilo pela PF — e informações exclusivas sobre a malandragem. Missão dada, missão cumprida. Eles não apenas conseguiram a foto, como descobriram que Freud Godoy, segurança de Lula, e José Carlos Espinoza, assessor do então presidente da República na campanha de reeleição, haviam visitado secretamente o aloprado Gedimar Passos na carceragem da PF.

Publicada a reportagem, a PF negou o encontro de ambos com o preso, mas abriu uma sindicância interna para apurar a história. Os repórteres foram gentilmente convidados a relatar de viva voz a sua descoberta a um delegado. Eles foram acompanhados de uma advogada da Abril.

Eu ainda estava em casa, quando recebi um telefonema do editor-executivo que comandara a reportagem. Um dos repórteres havia ligado para ele — na verdade, uma repórter — e, muito nervosa, dissera que o delegado intimidava os jornalistas da revista e a advogada da Abril, sob o silêncio da representante do Ministério Público. O sujeito gritava que a *Veja* era mentirosa, além de exigir que eles revelassem fontes e como tinham obtido a foto do dinheiro.

Telefonei para Márcio Thomaz Bastos e deixei recado para que me ligasse. Em seguida, entrei em contato com Fernando Henrique Cardoso e o senador Tasso Jereissati, que estava em São Paulo. Os dois se dispuseram a seguir para a sede paulista da PF, a fim de exigir que os repórteres e a advogada fossem liberados. Nesse meio-tempo, recebi o telefonema de Márcio Thomaz Bastos. Disse ao ministro da Justiça que ele segurasse os seus aloprados. Márcio Thomaz Bastos mandou que a PF liberasse todos imediatamente. A sua ordem foi seguida, sob comentários irônicos do delegado intimidador.

Na redação, chamei os envolvidos e cruzei as versões. Todos confirmaram a intimidação e me forneceram detalhes idênticos. O editor-executivo ligou para a representante do MP, que também relatou a situação vexatória sofrida pelos jornalistas e pela advogada. A essa altura, os jornais começaram a me procurar. No dia seguinte, noticiaram o absurdo. *O Globo* reproduziu o meu diálogo com Márcio Thomaz Bastos. Diante da repercussão, a representante do MP voltou atrás na sua versão e afirmou que não havia ocorrido intimidação. Os jornais colocaram a versão dos repórteres da *Veja* em dúvida. Fui adiante, com o aval do diretor de redação. Escrevi uma matéria para contar o episódio aos leitores da revista. A *Veja* ainda publicaria mais duas reportagens sobre o delegado intimidador. Entre outras coisas, descobriu-se que a PF o havia "importado" de Sorocaba, a fim de interrogar os jornalistas.

A PF abriu outra sindicância interna. Meses depois, concluiu que não havia ocorrido intimidação. O caminho estava aberto para que o delegado intimidador me processasse por ter escrito a reportagem que relatara o absurdo cometido contra a liberdade de imprensa. Fui acusado de calúnia e difamação. Curiosamente, o delegado que conduziria o inquérito era o mesmo que havia chegado à conclusão de que os repórteres e a advogada da Abril não tinham sido constrangidos.

Ao ver que o clima estava pesado para mim — eu também era alvo constante dos blogueiros sujos do PT —, Roberto Civita resolveu contratar bons criminalistas. Roberto Podval e Paula Kahan Mandel me defenderiam. Vi-me intimado a depor na mesma PF que havia esquecido os aloprados, absolvidos que foram, em 2007, por "falta de provas". O delegado havia acordado com os meus advogados que eu falaria e sairia de lá sem acusação formal.

Prestei o depoimento, deram-me a transcrição para eu ler, pedi para que corrigissem o português e assinei. Levantei-me para ir embora, mas o delegado pediu que eu assinasse outro papel. Era o meu indiciamento. Roberto Podval e Paula Kahan Mandel tomaram o papel das minhas mãos e entraram numa discussão acalorada com o delegado. Saí da sala e, apesar da porta fechada, o andar inteiro ouvia os gritos que de lá ecoavam. Fui indiciado à revelia. O delegado recebera ordens para me indiciar de qualquer jeito. A PF havia sido balcanizada pelo lulopetismo.

No início de 2010, finalmente, a ação contra mim foi trancada pela Justiça Federal de São Paulo, mediante habeas corpus impetrado pelos meus advogados. O desembargador Otavio Peixoto Junior escreveu:

Óbvio que os jornalistas não inventaram nada. Alguma coisa o delegado fez que foi sentida ou interpretada como constrangimento e intimidação. Os repórteres não iriam inventar, tirar isso do nada. A meu juízo, o que há é mera notícia de fatos no exercício da liberdade de imprensa e isso é tudo. O que pode haver de mais é o uso do inquérito como retaliação e não duvido que, fosse caso de dilação probatória, surgissem elementos de convencimento dessa hipótese.

O delegado intimidador caiu do telhado e morreu (não é piada). Paula Kahan Mandel deixou a advocacia e se mudou para Nova York. Roberto Podval se tornaria advogado de José Dirceu ("Mas o seu foi o caso mais difícil que enfrentei", brinca ele). A advogada da Abril morreu de câncer. Os três repórteres e o editor-executivo saíram da *Veja* bem antes de mim. O dinheiro dos aloprados foi para a União.

Sensacionalista com muito orgulho

Quando atacam O Antagonista, os detratores do site costumam usar o adjetivo "sensacionalista", entre outras delicadezas.

O sensacionalismo é definido pelo *Dicionário Aurélio* como "divulgação e exploração de matéria capaz de emocionar, impressionar, indignar ou escandalizar".

Em geral, aplica-se o qualificativo aos tabloides que se dedicam a vasculhar a intimidade de celebridades dos mais diversos campos e tirar proveito de tragédias.

Não há como negar que O Antagonista divulga e explora a política brasileira como um dado emocionante, impressionante, capaz de indignar e escandalizar. O adjetivo "sensacionalista" é, portanto, aplicável ao site.

Para infortúnio dos detratores de O Antagonista, no entanto, esse é justamente o motivo do nosso sucesso. Conseguimos transformar o sensacionalismo em algo positivo, ao tratar sem mesuras — e, quando é o caso, aos gritos escandalizados — esse espetáculo indecoroso que é a política brasileira. Com isso, atraímos uma legião de leitores que andava entorpecida pelo jornalismo de gabinete que contamina as publicações tradicionais. Com isso, atraímos uma legião de leitores que jamais havia se interessado por política, pelo fato de a enxergarem lá longe, como um mundo apartado da vida real — quando é justamente o contrário, a política é que está por trás de todas, absolutamente todas, as mazelas que infernizam o país.

No Brasil, confunde-se equilíbrio jornalístico com medo do poder e, não raro, certa cumplicidade com mandachuvas. Ouve-se com "imparcialidade" até bandido flagrado com dólar encontrado na cueca. Como sou "extremista", permito-me dizer que, estivesse cobrindo o Tribunal de Nuremberg, a imprensa nacional de hoje em dia iria ouvir o choro dos advogados de Hermann Göring ou Alfred Rosenberg, a fim de "compensar" as acusações contra esses monstros nazistas. E todos eles "teriam exterminado judeus e outras minorias" porque a "presunção de inocência" está acima das provas contundentes. O mais curioso é que tanta "isenção" não levou a que os jornais errassem menos. Só se tornaram mais anódinos.

Agradeço, portanto, o adjetivo "sensacionalista" que volta e meia nos dirigem. Enquanto tivermos leitores, continuaremos a emocioná-los, indigná-los e escandalizá-los com o escândalo que é a política brasileira, porque estamos do lado dos cidadãos do bem e queremos que eles (nós) mudem o país. E também seguiremos tentando diverti-los, porque às vezes só dá mesmo para fazer piada com as mentiras que essa gente nos conta.

A Revolução do Banheiro

A grande revolução a ser feita no Brasil é a Revolução do Banheiro. Se os seus sentidos estão anestesiados, basta ir ao site do Instituto Trata Brasil para verificar que o saneamento básico no país é uma catástrofe de proporções indianas:

- Mais de 35 milhões de brasileiros não têm acesso a água tratada;
- Mais de 100 milhões de brasileiros não têm as suas casas ligadas a redes de esgoto;
- Apenas 40% dos esgotos nacionais são tratados (no Norte, esse número cai para 14%; no Nordeste, para 29%).

Quanto tempo demoraria para universalizar o saneamento básico no Brasil: de vinte a trinta anos. Dinheiro? Quinhentos bilhões de reais. Parece muito, mas, para conquistar dezenove medalhas na Olimpíada do Cocô, gastamos três bilhões. Se começássemos a fazer a coisa certa já — e estamos longe de começar —, quase todas as pessoas da minha geração terão morrido antes que o cocô desaparecesse de rios e praias urbanos. Para não falar do lixo industrial que aumenta exponencialmente a toxicidade do nosso excrementão fluvial e marítimo.

A Olimpíada do Cocô revelou ao mundo essa porcaria e, no entanto, é impressionante como continuamos a fingir que não é conosco. Quando velejadores se jogaram na Baía de Guanabara, para comemorar a conquista de medalha, apresentadores de TV entraram em êxtase, como se a imprudência dos atletas anulasse as análises de laboratório. O mesmo ocorreu com remadores na Lagoa Rodrigo de Freitas. A negação do cocô não é exclusividade carioca. É nacional. No Rio, contudo, é maravilhosa.

Em Paris, um dos lugares mais visitados pelas crianças são os Égouts. Você desce alguns degraus ao lado do Sena, perto da Torre Eiffel, e chega a um museu subterrâneo que mostra a evolução do saneamento básico na cidade. O cheirinho de Brasil iáiá faz parte da decoração. No século XIX, quando eram bem menos extensos e mais fedorentos, os esgotos de Paris compuseram o cenário de *Os miseráveis*. Miseravelmente, as metrópoles brasileiras não contam nem mesmo com esgotos da época de Victor Hugo para ambientar um romance.

Precisamos fazer a Revolução do Banheiro para salvar os nossos rios, o nosso mar, a nossa gente e, quem sabe, produzir um Victor Hugo com um século e meio de atraso.

Resumo de uma farsa chamada Lula

Hoje, dia 26 de agosto de 2016, uma farsa começou a ser formalmente desmontada. A farsa chamada Luís Inácio Lula da Silva. Ele foi indiciado pela Polícia Federal por corrupção passiva, falsidade ideológica e lavagem de capitais, no âmbito da Lava-Jato. Todos esses crimes estão conectados ao recebimento de vantagens indevidas pela OAS, uma das empreiteiras do petrolão, no caso do triplex do Guarujá. Lula também deverá ser indiciado em relação ao sítio de Atibaia.

Indiciamento não é condenação, mas as provas contra Lula são tão robustas que será muito difícil para ele escapar de uma sentença dura. Esperava-se o indiciamento para logo depois do impeachment de Dilma Rousseff. A situação se precipitou por causa do cancelamento da delação premiada de Léo Pinheiro, por Rodrigo Janot, episódio ainda mal explicado. O que se sabe até agora é que a PF não gostou de ter sido deixada de lado nas negociações da PGR com o ex-presidente da OAS.

Não importam as circunstâncias do indiciamento, o Brasil está se livrando de Lula. Com ele, atingimos o ápice da demagogia e da corrupção nesta terra pródiga em demagogos e corruptos.

Lula surgiu no regime militar, quando se apresentou como líder sindicalista tolerável aos generais. Na redemocratização, a esquerda o transformou em ícone revolucionário e chefe de partido. No entanto, o discurso radical que lhe fora oportuno na construção do PT se revelou um desastre eleitoral nas campanhas presidenciais — e Lula, então, engravatou o pescoço e as palavras, para conquistar banqueiros, empresários e parte da classe média. Chegou ao Planalto por meio do que parecia ser um consenso inédito entre interesses de trabalhadores e patrões.

No poder, Lula levou às últimas consequências o assistencialismo mais rasteiro e uma política econômica que, baseada apenas em crédito farto, graças à bonança mundial, resultaria no desastre completo sob Dilma Rousseff, a criatura que escolheu para sucedê-la e autora da maior fraude fiscal já cometida no país. Como resultado, os ganhos sociais relevantes proporcionados pelo Plano Real foram parar na fila do desemprego.

No poder, Lula instituiu, para além da imaginação, a prática de comprar apoio parlamentar e financiar campanhas com dinheiro sujo. Tanto no mensalão como no petrolão, o seu partido e aliados desviaram bilhões de reais dos cofres públicos para realizar tais pagamentos.

No poder, Lula e boa parte dos seus companheiros enriqueceram por meio de contratos fraudulentos entre empreiteiras e estatais como a Petrobras, arrasada durante os anos dos governos do PT.

No poder, Lula tentou calar a imprensa independente, comprou o veneno de blogueiros e jornalistas decadentes, perseguiu profissionais que desvelavam os porões imundos do lulopetismo e cortou propaganda de veículos sérios, como a revista *Veja*. Com isso, minou um dos pilares da democracia que é a liberdade de imprensa.

É essa farsa que começou a ser formalmente desmontada pela PF num radioso 26 de agosto de 2016.

PS1: Num radioso 14 de setembro de 2016, Lula foi denunciado pelo MPF por corrupção e lavagem de dinheiro.

PS2: Num radioso 20 de setembro de 2016, Sérgio Moro aceitou a denúncia e transformou Lula em réu.

Por que Dilma será condenada pelo tribunal da história

Dilma Rousseff está no Senado enquanto escrevo.
No seu discurso de defesa, ela afirmou que não decretou a abertura de créditos suplementares sem autorização do Congresso e negou ter contraído empréstimos proibidos junto a bancos públicos, a fim de encobrir a cratera lunar nas contas do governo. Os seus crimes de responsabilidade são golpe da oposição, dos ex-aliados traidores, das elites econômicas e, como de hábito, da imprensa.

Para tentar suscitar compaixão nos seus juízes, a petista apelou às torturas sofridas durante o regime militar (que, não esqueçamos, ela queria ver substituído por uma ditadura comunista) e ao câncer do qual se curou (como se doença fosse certificado de idoneidade).

Agora, nas respostas às perguntas dos senadores, nem mesmo petistas e afins conseguem se segurar nas cadeiras e fingir alguma atenção às suas falas desconexas. Preferem fazer selfies com o sambista Chico Buarque, na parte da galeria reservada aos convidados. Posso imaginar, aliás, o desespero de Chico Buarque. Ouvir Dilma Rousseff é pior do que ouvir a "Ópera do Malandro".

Dilma é previsível, tentou ser patética, mas carece de sintaxe e, sobretudo, *pathos*. Não inspira simpatia ou comiseração. Pelas expressões dos senadores, desperta apenas estupor.

Sabemos que a petista é prova de que não é necessário ter carisma para ser eleito ou para governar. Sabemos que a sua vitória nas urnas é prova de como grande parte dos brasileiros é composta por bobocas. Dilma, contudo, atesta que, assim como uma obra de arte precisa de *pathos* para atravessar o tempo, um político dele necessita para ser absolvido, se não no presente, pela posteridade.

Por falta de *pathos*, ainda que fosse inocente, ela será condenada no tribunal da história, não importam os documentários ou os livros que a pintarão como vítima.

Não confiável porque interminável

O Brasil é interminável.
Dilma Rousseff foi retirada da Presidência, mas Renan Calheiros e Ricardo Lewandowski, aliados a parte do PMDB, PT e adjacências, conseguiram criar um imbróglio jurídico. Lançaram mão de casuísmos para livrá-la da inabilitação automática para o exercício de funções públicas durante oito anos. O artigo 52 da Constituição Federal foi rasgado, outro exemplo de que a lei é apenas um detalhe neste país infeliz.

Eis o que ele diz:

> **Art. 52.** Compete privativamente ao Senado Federal:
> I – processar e julgar o Presidente e o Vice-Presidente da República nos crimes de responsabilidade, bem como os Ministros de Estado e os Comandantes da Marinha, do Exército e da Aeronáutica nos crimes da mesma natureza conexos com aqueles;
> II – processar e julgar os Ministros do Supremo Tribunal Federal, os membros do Conselho Nacional de Justiça e do Conselho Nacional do Ministério Público, o Procurador-Geral da República e o Advogado-Geral da União nos crimes de responsabilidade; (...)
> **Parágrafo único.** Nos casos previstos nos incisos I e II, funcionará como Presidente o do Supremo Tribunal Federal, li-

mitando-se a condenação, que somente será proferida por dois terços dos votos do Senado Federal, à perda do cargo, com inabilitação, por oito anos, para o exercício de função pública sem prejuízo das demais sanções judiciais cabíveis.

Um dos casuísmos para o fatiamento foi interpretar o "limitando-se a condenação" como a possibilidade de ser perda de cargo simplesmente ou "perda de cargo, com inabilitação". Risível. A Constituição somente restringiu a punição por crimes de responsabilidade "à perda de cargo, com inabilitação, por oito anos", para evitar que houvesse uma chuva de processos sobre o presidente afastado definitivamente. O limite é teto, não piso. Assim, continuamos em suspense. Há mandados de segurança no STF contra a decisão de livrar Dilma e do PT pela anulação total do julgamento no Senado. Para o servicinho de Renan Calheiros e Ricardo Lewandowski ficar completo, José Eduardo Cardozo deveria exigir a abolição da preposição "com" da língua portuguesa.

O que devemos, sem trocadilhos, temer? Que o STF decida irresponsavelmente invalidar o julgamento inteiro e seja necessário que os senadores façam outro. Nesse caso, Dilma Rousseff voltaria à Presidência, porque já transcorreu o máximo de 180 dias que ela deveria ficar afastada. Teríamos, então, o processo de impeachment correndo no Senado com a petista instalada no Planalto. Um pesadelo.

O que devemos esperar? Que o Supremo conclua que o melhor é deixar tudo como está. Dilma Rousseff permanece fora definitivamente, mas habilitada a ser eleita e ocupar um cargo que lhe garanta foro privilegiado (esse é o motivo por trás da "compaixão" dos senadores que a pouparam da punição).

O que devemos almejar? Que o golpe contra a Constituição seja revertido pelo STF e Dilma Rousseff penalizada como reza o artigo 52. Seria a redenção da preposição "com".

O fato de o Brasil ser interminável não nos causa apenas angústia. Causa insegurança jurídica em todos os níveis. Se senadores, com a cumplicidade do presidente do Supremo Tribunal Federal, podem interpretar o texto constitucional — o grande contrato que rege o país —, mesmo quando ele não dá margem a dúvida, qualquer acordo pode ser questionado na Justiça.

Ao não afastar Dilma Rousseff da vida pública pelo prazo previsto em lei, afastamos investidores.

O Brasil não é confiável porque é interminável.

A propaganda governamental é o mensalão da imprensa

Hoje, finalmente, começou a ser desbaratado o esquema que PT e PMDB operavam nos fundos de pensão de Petrobras, Banco do Brasil, Caixa Econômica Federal e Correios. Uma ninharia estimada em 50 bilhões de reais. Enquanto a massinha de manobra da esquerda brasileira barbariza nas ruas contra o "golpe" do impeachment, a PF e a Justiça golpeiam a esquerda brasileira e os seus acólitos dentro dos limites da Constituição.

Aparelhados pela companheirada, os fundos de pensão dessas estatais igualmente aparelhadas entraram como sócios de negócios feitos sob medida para perder dinheiro dos trabalhadores e enriquecer a malandragem campeã nacional. O esquema esteve à nossa frente durante pelo menos dez anos, mas contou com o silêncio cúmplice da maioria das empresas jornalísticas, receosas de perder a verba publicitária controlada pelos criminosos.

Tal é o meu ponto: o escândalo dos fundos de pensão deveria levar a que movimentos pela verdadeira democracia e entidades civis respeitáveis exigissem a extirpação completa da excrescência chamada propaganda governamental. A pretexto de divulgar as suas realizações, concretas ou não, ministérios, secretarias e estatais — federais, estaduais, municipais — gastam bilhões de reais a cada ano para comprar consciências, promover políticos e partidos e encher as burras de agências de publicidade e comunicação que superfaturam contratos e repassam parte da grana para os encarregados de liberar a verba. Não há um país civilizado que jogue fora tamanho volume de recursos dessa maneira.

A proibição de propaganda oficial em todos os níveis, além de dar destino apropriado ao nosso dinheiro e diminuir o grau de corrupção, fortaleceria a liberdade de imprensa. Sem a droga financeira administrada pelos governos, jornais e emissoras ficariam mais pobres, porém mais limpinhos. Mais limpinhos, não fariam vista grossa para um escândalo como o dos fundos de pensão das estatais. Ah, mas o Banco do Brasil e Caixa Econômica Federal ficariam em desvantagem na competição com outros bancos que vivem anunciando e patrocinando. E quem precisa do Banco do Brasil e da Caixa Econômica Federal? Vamos privatizá-los, assim como foram privatizados ou simplesmente extintos os bancos estaduais. Adiante: quem precisa da estatal Petrobras? Quem precisa da estatal Correios? Gente honesta não precisa.

A propaganda governamental é o mensalão da imprensa. É imperioso acabar com ele.

Para ressuscitar um cadáver político

O PT sonha com um cadáver para chamar de seu e, nesse devaneio, conta com os jovens que alegremente se prestam ao papel de massa de manobra nas manifestações contra o governo de Michel Temer.

Um jovem morto pela polícia, em especial a de São Paulo, seria o "mártir" necessário para chancelar aos olhos do mundo que o impeachment de Dilma Rousseff foi um "golpe parlamentar". Um jovem branco e universitário seria o "mártir" ideal para fazer grande parte da classe média brasileira voltar-se contra o atual inquilino do Palácio do Planalto e exigir as eleições gerais que, na fantasia petista, proporcionarão a Lula reocupar a Presidência da República — a única forma de o capo garantir foro privilegiadíssimo.

Muita gente se pergunta como é possível que jovens esclarecidos acreditem na mentira do "golpe parlamentar" e saiam por aí achando que estão em 1964, em luta contra a instauração de uma ditadura. A resposta é que eles não são esclarecidos. No ensino médio e nas universidades, sofreram lavagem cerebral por meio da doutrinação esquerdista que lhes é imposta como currículo obrigatório.

Não é de hoje que isso ocorre. Há quase quarenta anos, quando eu estava na faculdade, ainda sob o regime militar, havia aulas de marxismo. A doutrinação vinha disfarçada sob o nome de "Metodologia Científica" e "Problemas Filosóficos e Teológicos do Homem Contemporâneo". Você se espantou com o "teológicos"? Não deveria. O marxismo é uma espécie de religião. Mais dogmática do que a católica.

Com a redemocratização do país, a doutrinação avançou sem medo de ser feliz e foi determinante para o PT conquistar o eleitorado jovem urbano. Agora, pode produzir um cadáver de verdade para ressuscitar um cadáver político.

Nossos alunos são péssimos nas disciplinas que nos dariam passaporte para a modernidade, mas ótimos em recitar clichês da esquerda. Eu recomendei aos meus filhos que, para obterem boas notas em redação, história e geografia política, escolhessem os argumentos com os quais eu jamais concordaria. Sei que não sou o único pai responsável.

No geral, apoio as premissas do movimento Escola sem Partido, uma reação ao teatro do absurdo encenado no ensino brasileiro. O país, porém, é tão esculhambado que o movimento ganhou um ator de filmes para adultos como um dos seus porta-vozes. É a pornografia no combate à necrofilia ideológica do PT.

Rui Barbosa e Mario Vargas Llosa contra a intimidação perpetrada por Lula

A perseguição à imprensa independente é um dos capítulos da história da infâmia que Lula e os seus acólitos legaram ao país. Antes da eclosão do mensalão, provavelmente para agirem ainda mais livremente, eles tentaram amordaçá-la com a criação de um certo Conselho Federal de Jornalismo, espécie de tribunal de exceção para punir quem contrariasse o PT e os seus capos. O monstrengo foi abortado a tempo. Depois do mensalão, inundaram publicações chapa-branca com anúncios de estatais, enquanto apertavam a torneira para jornais e revistas que insistiam em publicar a verdade sobre o lulopetismo. Em seguida, patrocinaram a criação de blogs de profissionais tão decadentes quanto repulsivos, encarregados de sujar a reputação de jornalistas honestos. Com o petrolão e escândalos afins, partiram para a intimidação policial e judicial mais desavergonhada.

Em janeiro deste ano, recebi uma intimação de um delegado de São Paulo. Lula havia conseguido abrir um inquérito policial contra O Antagonista. Ele nos acusa de formarmos uma "associação criminosa", para caluniá-lo, difamá-lo e injuriá-lo. Sim, o chefe da organização criminosa que assaltou o Estado brasileiro, segundo o procurador-geral da República, Rodrigo Janot, teve o desplante de afirmar perante um delegado que O Antagonista deveria ser investigado como "associação criminosa". A intenção de Lula é clara:

constranger-nos para evitar que continuemos a publicar notícias sobre a sua participação nos esquemas de corrupção que arrebentaram a Petrobras e opiniões baseadas nos fatos que assombram o país.

Lula não parou por aí. Também criou um site para dar publicidade à intimidação que perpetrou contra nós, de O Antagonista, e dezenas de outros jornalistas. Foi antes de ele e Marisa Letícia serem indiciados pela Lava-Jato no inquérito que apura a compra e reforma do triplex no Guarujá, um presentinho da OAS ao casal, suspeitam os investigadores. Lula e Marisa Letícia são acusados de corrupção ativa, passiva e lavagem de dinheiro. O Antagonista deu uma boa mão à Lava-Jato, ao revelar quem havia patrocinado a reforma da cozinha do apartamento.

Lula tentou nos levar para uma delegacia, o que certamente renderia manchetes nos blogs sujos, mas não obteve sucesso. Em julho, o inquérito sobre a formação de "associação criminosa" foi enviado ao Fórum Central da Barra Funda. A Justiça arquivou a parte relativa aos crimes contra a honra, mas os causídicos de Lula recorreram. Depois de eu ser intimado, os advogados Lourival J. Santos e André Marsiglia Santos, que cuidam do caso, aconselharam-me a escrever uma carta ao delegado. Eu a reproduzo abaixo, sem citar o nome do destinatário, a quem agradeço por ter aceitado os meus argumentos.

São Paulo, 16 de fevereiro de 2016.
Prezado Sr. Doutor Delegado de Polícia ***,

Meu nome é Mario Sabino Filho. Tenho 53 para 54 anos, dos quais 32 dedicados ao jornalismo. Comecei na *Folha de S.Paulo*, depois trabalhei em *IstoÉ*, *O Estado de S. Paulo* e *Veja*, onde cheguei ao cargo de redator-chefe. Passei vinte anos da minha vida profissional na revista mais respeitada do Brasil. Terminei a minha carreira na *Veja* como correspondente na Europa, baseado em Paris, a convite do saudoso Roberto Civita. Deixei a revista para investir na internet.

Atualmente, sou proprietário do site O Antagonista. O site estreou em 1º de janeiro de 2015 e, com apenas um ano de existência, por todas as métricas disponíveis, é um dos sites de política mais lidos e influentes do Brasil. O meu sócio no site é Diogo Mainardi, que durante mais de uma década foi o colunista da *Veja* com o maior número de leitores, até se desligar da revista por vontade própria. Diogo Mainardi continua a integrar a bancada do programa *Manhattan Connection*, transmitido pela GloboNews, um dos campeões de audiência da TV por assinatura.

Somos conhecidos por nossa disposição para fiscalizar o poder, não importa a figura ou o partido que dele usufruam. Fiscalizar o poder é a missão precípua da imprensa — que, segundo Rui Barbosa, são os "olhos da nação".

Rui Barbosa, permita-me a digressão, é autor de conferências notáveis sobre o papel da imprensa, reunidas sob o nome "A Imprensa e o Dever da Verdade". Em tais conferências, além de dizer que cabe à imprensa a fiscalização do poder, ele descreve como os homens públicos, justamente por serem públicos, estão submetidos ao escrutínio da imprensa e dos cidadãos. Escreveu Rui Barbosa:

"O poder não é um antro, é um tablado. A autoridade não é uma capa, mas um farol. A política não é uma maçonaria, e sim uma liça. Queiram ou não queiram, os que se consagraram à vida pública, até à sua vida particular deram paredes de vidro... Para a Nação não há segredos; na sua administração não se toleram escaninhos; no procedimento dos seus servidores não cabe mistério; e toda encoberta, sonegação ou reserva em matéria de seus interesses importa, nos homens públicos, traição ou deslealdade aos mais altos deveres do funcionário para com o cargo, do cidadão para com o país."

Essas palavras, escritas há mais de cem anos, nunca precisaram ser tão ecoadas como nos dias que correm. O Partido dos Trabalhadores ultrapassou todos os limites da ética e da responsabilidade com o país e o povo brasileiro, em prol de um projeto autoritário e do enriquecimento da sua cúpula e adjacências. Desde 2005, quando eclodiu o escândalo do mensalão, o PT tenta de todas as formas suprimir a liberdade de informação, opinião e expressão, para que os cidadãos permaneçam na mais completa ignorância dos crimes que praticou — crimes que encontraram o seu auge, talvez, na destruição de um dos maiores patrimônios nacionais, a Petrobras. As cifras da corrupção são assombrosas, assim como espanta o cinismo com que os integrantes do partido tentam fazer crer que tudo é fruto da ação de meia dúzia de funcionários da estatal.

A versão não corresponde aos fatos, como vêm demonstrando a Polícia Federal, o Ministério Público Federal e a Justiça do Brasil. Nesse processo de investigação, assim como no caso do mensalão, a imprensa independente, na qual se inclui o site O Antagonista, desempenha não só o papel de informar os que sustentam o Estado com o suor do seu trabalho, mas de investigar, dentro dos limites do jornalismo, crimes que, não raro, ainda não foram trazidos aos holofotes da polícia, dos procuradores, dos juízes e dos ministros de tribunais superiores. A isso se dá o nome de jornalismo investigativo.

Exemplo de jornalismo investigativo foi a descoberta, pelo Antagonista, de uma gráfica fantasma que lavou dinheiro para o PT na última campanha presidencial do partido. Trata-se da VTPB, hoje examinada pelo Tribunal Superior Eleitoral, que acatou uma ação de cassação de mandato de Dilma Rousseff.

Foram muitas as descobertas feitas por nós. A mais recente, que está sendo investigada pela Polícia Federal e o Ministério Público Federal, no âmbito da Operação Lava-Jato, é a compra pela OAS, uma das empreiteiras do escândalo da Petrobras, de cozinhas de luxo para o triplex no Guarujá e o sítio em Atibaia "frequentados" pelo ex-presidente Luiz Inácio Lula da Silva e família.

Chegamos aqui, sr. Delegado, no cerne da questão: ao registrar uma queixa na sua delegacia contra os jornalistas de O Antagonista, o ex-presidente tenta nos intimidar, nos calar, para que os seus eventuais crimes não sejam revelados e as suas efetivas responsabilidades não lhe sejam cobradas.

O ex-presidente Luiz Inácio Lula da Silva acha-se, como afirmou, "a alma mais honesta do país", embora tenha passado à condição de investigado pelo Ministério Público de São Paulo. Compreende-se que o incomode ser chamado de chefe da quadrilha do PT, mas é indubitável que ele é o chefe do PT e que o PT, como enfatizado até por ministros do Supremo Tribunal Federal, atuou como organização criminosa. O ex-presidente pode até dizer que não sabia dos crimes perpetrados por seus companheiros de sigla, mas isso não o torna menos chefe — ou será calúnia, difamação e injúria chamá-lo de chefe do PT?

Sabedor ou não, Lula, por ser o chefe, é o grande responsavel pela triste e vergonhosa situação por que passa o nosso país. Ele foi eleito e reeleito por milhões de cidadãos que confiaram na sua palavra e foram traídos nas suas expectativas. Trata-se de fato, não de especulação.

A corrupção que grassou sob os auspícios do Partido dos Trabalhadores é de proporção inaudita mesmo para os largos padrões brasileiros. Muitos se referem ao escândalo da Petrobras como "o maior da história do mundo". O PT comandado por Lula foi objeto de considerações do escritor peruano Mario Vargas Llosa, Prêmio Nobel de Literatura, que no ano passado disse na Assembleia da Associação Interamericana de Imprensa:

"A corrupção é um problema grave, a maior ameaça para a democracia, especialmente com as novas e recentes democracias latino-americanas. O Brasil parecia ter decolado, mas o que freou de repente e está provocando o retrocesso? A corrupção, que está de volta mais forte que nunca, acima do pico de todos os níveis já alcançados, vinda de um governo que todos no mundo acreditavam que era exemplar: Lula implantou um governo profundamente corrupto. Dá até vertigem os montantes bilionários roubados pelos grandes ladrões do governo Lula. A história da Petrobras é incrível. É uma indicação do que pode acontecer se não se combater a corrupção, que se manifesta na América Latina de maneira muito perturbadora. Já não são os guerrilheiros, utopias socialistas, os golpes. São todos ladrões, como os narcotraficantes. Seria terrível que a democracia continue a ser esmagada e sufocada pela corrupção."

Há pouco, o governador Geraldo Alckmin, do PSDB, volta e meia alvo de críticas da parte de O Antagonista, visto que nosso trabalho não tem coloração partidária, expressou da seguinte forma a sua estupefação com a história do triplex no Guarujá e do sítio em Atibaia "frequentados" pelo ex-presidente: "O Lula é o Partido dos Trabalhadores. O Lula é o retrato do PT, partido envolvido em corrupção, sem compromisso com as questões de natureza ética, sem limites."

O que fará o ex-presidente diante de tais afirmações? Tentará levar Geraldo Alckmin a uma delegacia? Ou o escritor Mario Vargas Llosa, na próxima vez que ele vier ao Brasil?

Enfatizo esse ponto, sr. Delegado: O Antagonista não é uma "associação criminosa", como acusa o sr. Luiz Inácio Lula da Silva. É um site de notícias, com mais de 60 milhões de pageviews por mês e 2 milhões de leitores *(tais números, hoje, são bem maiores)*. Todas as nossas reportagens, comentários e análises estão acessíveis a um clique no computador. Não recebemos dinheiro público de partidos políticos e estatais, ao contrário dos blogueiros sujos do PT, encarregados de difamar jornalistas independentes como nós, eu e Diogo Mainardi, desde que o mensalão veio à luz do sol. Não temos financiadores secretos. Somos completamente límpidos no nosso trabalho investigativo e opinativo. Se tivéssemos qualquer esquema ilícito, o senhor pode estar certo de que os nossos algozes, que lançam mão de todos os recursos oficiais ou não à sua disposição, já o teriam alardeado por meio da sua rede de blogueiros pagos com o dinheiro público e pelo próprio PT. Porque não temos segredos de nenhum tipo é que o sr. Luiz Inácio Lula da Silva arma essa pantomima numa delegacia. O seu objetivo, repito, é apenas tentar nos intimidar, nos calar, nos expor a uma situação vexaminosa, para em seguida nos submeter à execração por meio da sua rede infame na internet e em outros meios de comunicação. O sr. Luiz Inácio Lula da Silva está tentando usar a Polícia Civil do Estado de São Paulo para perseguir jornalistas.

É evidente que, assim como a Constituição tem no direito de informação, opinião e expressão uma cláusula pétrea, o aparato legal brasileiro permite ao cidadão recorrer à Justiça no caso de ele se sentir caluniado, difamado e injuriado. Como cidadão brasileiro, portanto, o ex-presidente pode levar O Antagonista à Justiça. É o seu direito. Da mesma forma, temos o direito de defesa. É na arena dos tribunais que se deve dar essa batalha, se é verdade que o sr. Luiz Inácio Lula da Silva tem a intenção de punir quem porventura manchou a sua reputação, e não simplesmente constranger quem exerce a profissão de jornalista com a máxima integridade.

"O poder não é um antro, é um tablado. A autoridade não é uma capa, mas um farol. A política não é uma maçonaria, e sim uma liça. Queiram ou não queiram, os que se consagraram à vida pública, até à sua vida particular deram paredes de vidro." Quando disse essas palavras, Rui Barbosa parecia antever a situação em que ora nos encontramos.

Sr. Doutor Delegado de Polícia ***, agradeço a oportunidade de fazer este relato por escrito.

Cordialmente,

MARIO SABINO FILHO

Vingança à brasileira

Depois de dez meses de idas e vindas, Eduardo Cunha foi cassado. Escrevi em O Antagonista: "Apesar de você, obrigado, Eduardo Cunha. Ou por causa de você, obrigado, Eduardo Cunha."

Devemos ao ex-presidente da Câmara, que agora terá de se haver com o juiz Sérgio Moro, o impeachment de Dilma Rousseff. Não há como negar: o seu ato de vingança foi essencial para apeá-la do poder. Se não tivesse aceitado o pedido do trio Hélio Bicudo, Miguel Reale Jr. e Janaína Paschoal, é provável que Dilma ainda continuasse a presidir o Brasil, apesar de todos os seus crimes e com todas as consequências funestas que isso significaria. Aos petistas restou vingar-se de Eduardo Cunha votando pela cassação dele. Essa história ainda não acabou. O peemedebista disse que contará em livro toda a história do impeachment. Aguardamos ansiosamente, visto que deve sobrar também para os seus colegas de partido.

Livramo-nos de duas pragas graças à vingança, sentimento que ensinamos às crianças ser feio, mas que na política brasileira tem servido como antibiótico. Senão, vejamos:

Em 1992, Fernando Collor caiu porque o seu irmão, Pedro, deu uma entrevista bombástica à *Veja*, para contar as relações promíscuas entre o então presidente e o seu tesoureiro, Paulo César Farias. Pedro estava fulo com o fato de Fernando ter cantado a sua mulher, Thereza.

Em 2005, a mesma *Veja* tentou circunscrever o escândalo de corrupção nos Correios, revelado pela revista, ao PTB de Roberto Jefferson. Ao perceber que o PT estava armando para cima dele por meio da *Veja*, o petebista procurou a revista para denunciar o mensalão e foi repelido (presenciei o fato). Jefferson, então, soltou o verbo na *Folha de S.Paulo*, para contar que o esquema era muito maior e comandado pelos petistas.

Roberto Jefferson foi condenado no mensalão, assim como Eduardo Cunha será condenado no petrolão. Ambos levaram consigo os seus algozes.

A morte dos vingativos é final comum no gênero literário-teatral conhecido como "peças de vingança", do qual William Shakespeare é o maior mestre. As "peças de vingança" nacionais, contudo, não estão à altura de um bom dramaturgo. Os seus personagens são demasiado estúpidos.

Fernando Collor foi estúpido ao achar que o irmão seria corneado mansamente. O PT foi estúpido ao acreditar que poderia jogar toda a culpa da corrupção governamental sobre Roberto Jefferson, sem que ele reagisse. O PT foi igualmente estúpido ao imaginar que poderia anular Eduardo Cunha na presidência da Câmara, um dos cargos mais poderosos da República.

Havia algo de podre no estado da Dinamarca, para citar a frase de Marcellus em *Hamlet*, a "peça de vingança" mais popular de Shakespeare. Há algo de podre no Estado do Brasil. Não precisamos, contudo, de fantasmas magníficos para os nossos personagens se vingarem uns dos outros.

O impeachment é felicidade passageira

Michel Temer é presidente sem o adjetivo "interino".
Indagam-me o que ocorrerá a partir de agora. Costumo responder que o Brasil tem alguma chance se.
"Se o quê?"
E continuo:
Se o governo Temer chegar a 2018 e fizer as reformas que prometeu.
Se a Lava-Jato não for sabotada e punir exemplarmente Lula e os seus cúmplices.
Se, em 2018, a racionalidade triunfar sobre o populismo nas eleições presidenciais (e continuar triunfando nas seguintes).
Se os cidadãos entenderem que a derrota do PT não significa, por si só, a vitória da democracia e da modernidade.
Se os cidadãos continuarem a vigiar a política como fizeram nos últimos dois anos.
Se houver uma revolução na educação.
Se conseguirmos reduzir o Estado aos seus deveres básicos.
Se, se, se...
São tantas as condicionantes que acho mais prudente conservar o meu pessimismo.
Como país, repetindo o que disse no artigo "Os políticos são o nosso retrato", ecoando Paulo Prado, nascemos da cobiça, da luxúria, da tristeza. Estamos condenados a ser ávidos, libertinos, melancólicos.

Esse destino se viu reafirmado com a proclamação da República, que piorou o que já era ruim na monarquia. Cito Lima Barreto, lá do começo do século passado: "A república, trazendo à tona dos poderes públicos a borra do Brasil, transformou completamente os nossos costumes administrativos e todos os 'arrivistas' se fizeram políticos para enriquecer."

O impeachment de Dilma Rousseff é felicidade passageira. Sinto muito. Mas, por mais pessimista que eu seja, continuo tentando cortar cipós na selva selvagem brasileira.

E você?

Segunda Parte

No Exílio

Déjeuner sur l'herbe*
(digressão como entrada, memórias como prato principal, ficção como sobremesa)

Trabalho. Trabajo. Travail. Lavoro. Work. Arbeit. Merda. Mierda. Merde. Merda. Shit. Scheisse. Fôssemos mais sucintos e assim poderíamos resumir a visão da maioria silenciosa sobre o mundo do trabalho, com a imprecação mais sutil que lhe vai pela cabeça. Todos os sentidos positivos associados às atividades profissionais ganharam as feições plastificadas da hipocrisia nas sociedades afluentes. Ninguém mais quer trabalhar na Europa, todos amparados nas políticas de bem-estar social. Nos Estados Unidos, onde inexiste o estado babá, a despeito dos esforços do presidente Barack Obama em implantá-lo, a ética protestante que emoldura o trabalho apresenta rachaduras. Como se pôde observar no estouro da bolha imobiliária em 2008, que mergulharia o planeta numa das maiores crises financeiras da história, para milhões de cidadãos do país cujo maior negócio consiste em fazer negócios, o sonho americano era surfar em ondas especulativas que quebravam no limite da legalidade — para, enfim, relaxar. É claro que só um energúmeno diria que se deixou de trabalhar no mundo. Em certos países da África equatorial, o regime é pior do que no da Inglaterra de Charles Dickens.

---

* A primeira versão deste artigo foi publicada na revista *Granta*, da editora Alfaguara, no verão brasileiro de 2011.

Em 2010, uma das edições do extinto jornal literário inglês *The Drawbridge*, para o qual eu colaborava, trouxe uma fotografia do italiano Alfredo Falvo que conseguiu impressionar este jornalista endurecido por mais de trinta anos de profissão. Ela trazia a imagem de um lamaçal onde congoleses chafurdavam em busca de um mineral chamado coltan, nome que combina columbita e tantalita. Usado para fabricar componentes digitais de toda sorte, desde aqueles que servem para operar estações espaciais e acionar telefones celulares aos que permitem a nossos filhos se divertirem com videogames, o coltan tem o controle de sua exploração em estado bruto disputado por grupos paramilitares que assassinaram milhares de pessoas e mantêm mineradores trabalhando dia e noite, em condições próximas às da completa escravidão. Como diz Falvo, "Muitos adolescentes e crianças estão envolvidos na extração ou em atividades relacionadas ao mineral. Nas palavras da política inglesa Oona King, 'Crianças no Congo estão sendo enviadas para a morte em minas, para que crianças na Europa e América possam matar alienígenas imaginários em suas salas de estar'."

Já que este artigo não trata de explorações abjetas na periferia do capitalismo, volte-se ao tema escolhido por mim, o de como o trabalho é visto hoje nos países centrais. Para citar a frase surrada do economista Milton Friedman, não existe almoço de graça, e os europeus vêm sendo forçados a enxergar esse aspecto da realidade, o que não significa que conseguirão. Ainda assim, não é difícil constatar que o trabalho perdeu a respeitabilidade na porção desenvolvida do planeta. Num país díspar como o Brasil, as ilhas de prosperidade são palco de fenômeno idêntico. E também aqui certos sinais se inverteram. Veja-se o caso dos restaurantes elegantes que faturam alto com pessoas jurídicas — os que vestem terno e gravata são, em sua maioria, os maîtres e garçons. Os clientes mais assíduos, em geral altos executivos, banqueiros, industriais e profissionais liberais bem-sucedidos entre 35 e 60 anos, procuram ir a encontros profissionais nesses restaurantes vestidos de maneira despojada, como sinal de sua prosperidade. Ou seja, a fim de parecer que não estão trabalhando mesmo que estejam.

A minha tese (surrada, surrada) é que a acumulação capitalista atingiu tamanha dimensão que muita gente começou a acreditar ser possível se refestelar durante a semana útil, sem nenhuma perda no padrão de vida. O almoço de graça é a miragem que compartilhamos. Nesse sentido, o avanço das tecnologias digitais contribuiu para que a fantasia atingisse os atuais níveis epidêmicos (os congoleses são a parte perversa da equação, não esqueci). O progresso espantoso dos últimos anos não só decuplicou a produtividade, como os ofícios, em geral, se tornaram menos árduos — das linhas de montagem, com os seus robôs e equipamentos afins, aos escritórios, com seus computadores interligados e outras facilidades diante das quais mais se finge que se trabalha do que se pega no pesado.

Quando se tem uma visão panorâmica de um escritório de qualquer área, de cada dez computadores, sete, ao menos, pode apostar, estão sendo usados simultaneamente para conversas com amigos através das redes sociais. Noticiou-se que, com a crise, as pessoas que permaneceram empregadas passaram a trabalhar mais. Não é verdade. Elas só começaram a ficar mais horas no serviço, com medo de perder o posto. É comum dizer, ainda, que a conexão diuturna proporcionada por laptops, smartphones e tablets está levando a que trabalhemos continuamente fora do expediente. Uma verdade restrita. Em grande parte dos casos, a troca de mensagens supostamente profissionais serve apenas para dar vazão à compulsão por escrever e-mails e mensagens de celular desnecessários — o que leva tais compulsivos a reclamar que não param de trabalhar e, desse modo, a não cumprir o horário previsto em contrato. Quando se diz que se dá duro em casa ou durante viagens pessoais, não há necessidade de ir ao escritório.

Em relação aos primórdios do capitalismo, na virada do século XVII para o XVIII, houve uma mudança moral de proporções extraordinárias. No meu exemplar do romance *Os sofrimentos do jovem Werther*, de Johann Wolfgang von Goethe, escrito nesse período, há uma marginália no trecho que diz: "A maior parte dos homens consome a maior parte do tempo no trabalho a fim de ganharem a vida, e o pouco de liberdade que lhes sobra os angustia de tal forma que procuram todos os meios de se livrarem dela." Hoje ocorre o inverso: o que angustia moralmente é trabalhar, o que angustia moralmente é não ter tempo livre, nome que atualmente se dá à liberdade. Minha experiência em redações de jornais diários e revistas semanais de informação é ilustrativa. Há vinte anos, a maioria dos repórteres jovens buscava dar furos e brilhar aos olhos dos leitores e, principalmente, dos seus editores. Hoje, muitos se contentam em escrever uma página por semana sobre assuntos frios, encomendada por seus superiores e, de preferência, sem a necessidade de levantar-se da cadeira ergonômica. A entrevista burocrática por telefone ou via computador tornou-se norma. Trabalhar, ainda que num ramo teoricamente vibrante como o meu, adquiriu os contornos de tarefa a ser cumprida com o grau de acurácia de um faxineiro de lanchonete fast-food. Curiosidade, pré-requisito do bom jornalismo, dá trabalho e, portanto, melhor não cultivá-la. Repórteres promissores não raro se cansam depois de dois anos de batente e dão um jeito de ir para Londres ou qualquer outra capital do Primeiro Mundo, a pretexto de "ampliar os horizontes". Os sinceros dizem que irão "dar um tempo". Recentemente, ouvi a história de um rapaz que, escalado para escrever uma reportagem sobre concursos públicos, inscreveu-se em um deles para entender como a coisa funcionava, passou no exame — e resolveu assumir o posto que lhe dará estabilidade vitalícia e nenhum trabalho.

Trabalhar cansa (tomo emprestado o título do poema de Cesare Pavese que, atenção, não faz apologia da vagabundagem) e dificilmente é motivo de orgulho para os indivíduos, em especial nas funções subalternas. Agora mais do que nunca, mas sempre foi assim, ainda que a antiga moral levasse a que se dissesse o contrário ou mesmo movesse os alemães de Goethe. Num dos contos de *Dublinenses*, chamado "Contrapartida", James Joyce aborda não só o universo alienante do trabalho (estou parecendo um marxista, mas juro que não sou), como a nossa natureza preguiçosa, vingativa, perversa e sem vocação — uma palavrinha interessante. Como esclarece Max Weber, em seu *A Ética Protestante e o Espírito do Capitalismo*, vocação profissional não passa de uma adaptação para o universo da economia de um conceito religioso, o da vocação para o sacerdócio, abstração surgida da mente dos padres da Igreja para justificar o recrutamento de jovens "chamados por Deus" a vestir batina. Ninguém nasce com vocação para engenharia hidráulica, jornalismo esportivo, design gráfico, taxidermia ou tráfico de drogas. Gente nasce com propensão a desenvolver determinadas habilidades que facilitam o exercício de uma profissão. Ou nasce sem propensão nenhuma. Ou não consegue desenvolver as suas habilidades. Os talentos excepcionais servem para massificar a ilusão vocacional. Ponto.

Voltando a Joyce, o protagonista do seu conto é um funcionário de cartório, ou o que parece ser um, cujo objetivo é tão somente pedir adiantamentos salariais e escapar da escrivaninha para tomar uns tragos durante o expediente. Para enganar os chefes, ele deixa o chapéu no porta-chapéus e, ao sair, agasalha a cabeça com um boné que mantém no bolso do casaco. A passagem mais engraçada desse conto terrível é quando Farrington (o nome do protagonista) se vê flagrado pelo chefe imediato voltando ao escritório depois de beber uma cerveja no pub vizinho. Eis o trecho, na tradução de Hamilton Trevisan:

> *"O senhor Alleyne mandou chamá-lo", disse o chefe. "Onde é que você esteve?"*
>
> *Farrington olhou para os dois clientes encostados ao balcão, insinuando que a presença deles o impedia de responder. Como se tratava de dois homens, o chefe soltou uma gargalhada.*
>
> *"Conheço esse truque. Cinco vezes num dia é muita... Bem, é melhor se apressar e levar as cópias de nossa correspondência no caso Delacour para o senhor Alleyne."*

"Cinco vezes num dia é muita...": você percebeu do que o personagem estava falando, espero. Masturbação. Não existe estatística, claro, mas a maioria dos funcionários jovens de qualquer setor de atividade abandona o posto não para beber e sim para se masturbar. É uma forma de dar vazão a necessidades hormonais, atenuar a pressão que os faria pular no pescoço dos seus superiores e, não menos importante, passar o tempo antes de cair fora.

O conto de Joyce é terrível, porque, além de mostrar o vazio de Farrington, ele expõe a crueza das relações profissionais do início do século passado — atenuadas, no atual estágio econômico, pelas políticas de Recursos Humanos. A humilhação de trabalhar para que alguém fature alto em cima de seus neurônios ou força braçal continua presente, mas os patrões aprenderam a mitigá-la em troca de espelhinhos. Uma viagem aqui, um bônus ali, cestas de Natal, brinquedos para os filhos dos empregados no dia das crianças — e eis que as frustrações individuais viram um espetáculo cômico de telecatch, com os lutadores mais fracos usando a fofoca para vingar-se de quem lhes paga o salário ou representa os graúdos. Falar mal dos patrões e chefes, assim como inventar maldades a seu respeito, ajuda também a que o relógio de ponto ande mais rápido e proporciona que se contem bravatas no bar. É o que faz Farrington. Quando um dos donos do escritório, o senhor Alleyne, pergunta-lhe se ele o julga um imbecil, Farrington responde: "Creio, meu senhor, que não me cabe elucidar essa questão." Uma boa resposta para relatar aos amigos, entre um copo e outro de cerveja, mas tal não é a contrapartida de que fala o título do conto de Joyce. A contrapartida é que, quando chega em casa, depois de mais um dia de humilhação, Farrington, ao não encontrar a mulher que fora à igreja (estamos na Irlanda), pergunta ao menor dos seus cinco filhos... Melhor dar a palavra a Joyce:

"O que tem para comer?"
"Eu vou... vou preparar, papai..."
O homem saltou da cadeira e apontou para o fogão.
"Com esse fogo? Você deixou o fogo apagar! Por Deus, vou ensiná-lo a não fazer isso outra vez!"
Deu um passo até a porta e pegou a bengala que estava atrás dela.
"Vou ensiná-lo a não deixar o fogo apagar!", disse ele, arregaçando a manga, para deixar o braço à vontade.
"Não, papai!"
O garotinho começou a correr em volta da mesa, choramingando, mas o homem o perseguiu e o agarrou pelo casaco. O garoto olhou desesperadamente à sua volta, mas, vendo que não podia fugir, caiu de joelhos.
"Da próxima vez não deixará o fogo apagar", disse o homem, golpeando-o vigorosamente com a bengala. "Tome isto, seu animalzinho!"
O garoto soltou um gemido de dor quando a bengala atingiu-o na coxa. Ergueu as mãos entrelaçadas e sua voz tremia de pavor:

> "Oh, papai! Não me bata, papai. Eu... eu rezarei uma Ave-Maria pelo senhor... eu rezarei uma Ave-Maria pelo senhor, papai, se não me bater... Rezarei uma Ave-Maria..."

Talvez os departamentos de Recursos Humanos tenham contribuído para diminuir a violência doméstica, o que é bom. A contrapartida é que, talvez por causa deles, não há mais tantos contistas bons hoje em dia, o que é ruim.

Deixando de lado a multidão de Farringtons aos quais é preciso dar emprego (falarei disso logo adiante), a questão é que profissionais que poderiam ser de fato produtivos e auferir prazer de suas funções começaram a ter na semana curta ou na aposentadoria precoce o objetivo de sua existência — sem perda de recompensa monetária, enfatize-se. A utopia socialista rege, agora, mentalidades capitalistas. Podemos chamar isso de esquizofrenia psicossocial. É como se todos pudessem gozar durante a maior parte do tempo a delícia retratada por Claude Monet em seu esplêndido *Déjeuner sur l'herbe*.

Monet disse que gostaria de pintar como os pássaros cantam, mas desconfio de que tinha bom senso suficiente para saber que mesmo o progresso tecnológico mais impressionante não eliminaria uma verdade tão simples como a semana útil: quando alguém trabalha menos, alguém trabalha demais para compensar. Mas o que ocorreria se todos trabalhassem exaustivamente? O sistema ficaria superaquecido em todos os níveis, com as consequências previstas pelas leis da economia: o excesso de oferta de mercadorias e serviços, a queda excessiva de preços e a impossibilidade de empresas e profissionais autônomos manterem seus rendimentos. Ou seja, se todos trabalhassem demais, milhões perderiam o emprego e a capacidade de consumo. Para não entrar em colapso, o capitalismo pressupõe a ociosidade remunerada. Um aperfeiçoamento, digamos assim, do conceito marxista de exército de reserva de mão de obra — ou seja, aquela proporção de trabalhadores que precisa ser mantida inativa, para regular o custo dos salários. Além disso, com uma população crescente de Farringtons, é imperativo criar uma quantidade de empregos descartáveis, para que não haja uma comoção social de proporções bíblicas. Penso nisso sempre que pego a fila dos elevadores de corporações imponentes. Quantos daqueles funcionários seriam, de fato, necessários? No meu impressionismo — sou um sub-Monet da literatura nacional —, creio que um terço bastaria, não importa a empresa.

Eu dei eco a Weber no que se refere ao conceito de vocação, porque sou prova viva de sua formulação. Não tinha "vocação" para nada, mas fui ser jornalista. Ao ler as redações que escrevia no ginásio e colegial, fica claro que eu não apresentava nenhum pendor para qualquer atividade relacionada às letras. Por que escolhi o jornalismo e, mais tarde, bati à porta da literatura? Acho que para tentar ser amado pela minha mãe. Ela adorava meu avô, Trento, um romano que havia sido repórter e assinara ensaios políticos e romances na Itália, antes de se tornar funcionário do consulado daquele país em São Paulo. Lembro-me que, aos sete anos, depois de ler *História do mundo para as crianças*, de Monteiro Lobato, fiquei entusiasmado com as conquistas do Império Romano. Para agradar meu avô, caí na besteira de falar-lhe das glórias dos césares. Não sou Joyce, mas vou reproduzir o que se seguiu:

"Roma nunca foi nada, deixe de falar bobagens, menino!", disse meu avô.

"Como nunca foi nada? Roma dominou o mundo antigo!", retruquei.

"Já disse que isso é besteira!", exasperou-se o velho.

"Você é um ignorante!", respondi.

Meu avô se retirou da sala e eu levei um beliscão da minha mãe.

"Como você pode discordar do seu avô, um jornalista, um escritor!", indignou-se ela.

"Mas eu li, Monteiro Lobato escreveu...", teimei.

"Não ouse ir contra seu avô outra vez!", avisou minha mãe.

Um beliscão não equivale a bengaladas, eu sei. Mas, como reconheço outra vez, também não sou minimamente comparável a Joyce. Meu avô renegou a história de Roma, viria a saber bem depois, porque, como antifascista, tinha ojeriza aos delírios de Mussolini de reviver o poder do antigo Império. Há poucos meses, encontrei um artigo dele a respeito do assunto, escrito na década de 40. Eis o que escreveu Trento:

"As populações italianas emigradas, que nunca haviam sonhado com grandezas, começaram a ouvir falar, vaga e confusamente, a princípio, do nascimento de um novo império romano. A palavra 'Roma' começou a invadir os cérebros dos trabalhadores italianos que até aquela época tinham se limitado a enviar dinheiro para a Itália, colaborando com os governos de suas cidades e auxiliando suas famílias. Eles ficaram imbuídos, através de propaganda falsa, de que, por virtude de um homem, a pequena Itália, laboriosa e individualista, caminhava a passos largos para a conquista do mundo. Lia-se um orgulho postiço em todos os rostos e o mais humilde dos colonos italianos se sentia como se fosse parte indispensável de um todo forte que se apoderaria em curto espaço de tempo da metade do hemisfério norte."

Se tivessem me explicado na hora, quem sabe eu hoje fosse um bancário ou um corretor imobiliário. Não me explicaram — e eis que o Complexo de Édipo me forjou jornalista e escritor. Terminei numa redação depois de assinar resenhas para a seção de livros de um grande jornal. Dali em diante, fui aprendendo o ofício de reportar, escrever e editar. Eu era bem ruinzinho no início. Hoje, posso ser considerado um profissional razoável menos pelos meus talentos e mais pelo panorama circunstante. Não tome essa afirmação por coragem. Desisti de fazer amigos. Há quase três décadas, coleciono inimigos, porque não demorei a me tornar chefe. E o fato de ter enveredado por romances e contos não ajudou a melhorar minha reputação. Como pode um chefe ser escritor? Não estou bancando a vítima. Acho que inimigo é inimigo e eu faria com eles o que eles fariam comigo. Não há departamento de Recursos Humanos que encerre disputas travadas nos escalões mais altos do jornalismo. Faz parte do trabalho dos chefes jornalistas tentar a destruição total do concorrente ou desafeto. Parece que com banqueiros também funciona dessa forma, mas, convenhamos, pelo menos eles ganham dinheiro de verdade com isso.

Eu disse que trabalhar cansa, mas há quem discorde. Um deles é aquele otimista chamado Alain de Botton. Ele escreveu um livro cujo título original é *The Pleasures and Sorrows of Work*. Dado o conteúdo, creio que o título da edição italiana é mais condizente: *Lavorare Piace*, uma referência ao poema de Pavese. No livro, Alain de Botton acompanha o cotidiano de pessoas com profissões estranhas ou simplesmente chatas, como a de formuladores de salgadinhos com sabor de camarão, inventores de sapatos para caminhar na água e especialistas em logística. Sua conclusão é que o trabalho é uma forma de resistência contra nossa existência efêmera. Diz ele: "O trabalho ao menos nos distrai, fornecendo-nos uma maravilhosa bolha especulativa na qual investimos nossas esperanças de perfeição, e nos ajuda a concentrar nossas ansiedades desmesuradas em um punhado de objetivos modestos e alcançáveis, nos dá um sentimento de superioridade, nos dá um respeitável cansaço, põe a comida sobre a mesa. Impede-nos de cometer bobagens piores."

Não era necessário que o suíço Alain de Botton escrevesse um livro de trezentas e vinte e quatro páginas para chegar a tal conclusão. No entanto, dá para compreender quando se leva em conta a frase (surrada, surrada, surrada) de um personagem de Orson Welles: "Na Suíça, eles tiveram amor fraternal e quinhentos de democracia e paz. E o que produziram? O relógio cuco." Na verdade, foram os alemães que inventaram o relógio cuco. E daí? Alain de Botton, como seus conterrâneos relojoeiros, se acha original.

Eu trabalho para pôr comida na mesa, mas não sei se faria bobagens piores se não trabalhasse. Trabalhar cansa — e, no entanto, pode ser um prazer se alguém o elogia, ainda que você queira apenas dormir o dia inteiro. É por esse motivo que escritores se dão de vez em quando ao trabalho: para serem elogiados e, quem sabe, amados (não só pelas respectivas mães). Amor é como trabalho. Trabajo. Travail. Lavoro. Work. Arbeit. Merda. Mierda. Merde. Merda. Shit. Scheisse.

Nada mais do que a verdade

Morre-se sozinho, eis o truísmo que hoje recusamos a aceitar, expresso nos provérbios antigos, escavado na filosofia da aceitação da morte, esquecido na gaveta dos clichês, entre as cartas de amor amarelecidas, os primeiros traços dos filhos, as fotografias desbotadas de quem já não lembramos os nomes. O truísmo que nos espanta até a última linha de nosso epílogo, porque tentamos espantá-lo em meio às misérias neuróticas, às infelicidades do mundo, às originalidades da arte.

Morre-se sozinho quando se está cercado pela família ou o grande amigo não arreda o pé de nosso leito de morte. Morre-se sozinho quando se espalma a mão na espera vã do calor de outra mão ou quando a se tem apertada pela do filho, da mulher, do marido, do pai, da mãe ou da enfermeira contratada para cancelar do cotidiano alheio quem insiste em adiar o fim. A morte de quem dessas mãos carece não é mais solitária.

Morre-se sozinho ao lado de Deus ou do lado ateu. Morre-se sozinho em casa. Em lençóis de algodão egípcio; em roupas de cama de algodão barato; deitado sobre colchões de espuma manchados. Morre-se sozinho em hospitais, sejam públicos, cujos mortos servem apenas para engrossar estatísticas, ou particulares, em que os moribundos também engordam a contabilidade. Morre-se sozinho nas mortes lentas, iniciadas por tumores contidos por alguns anos em sua fome permanente, ou nas fulminantes dos ataques cardíacos e derrames em que a sequela é só uma. Nos acidentes fatais, a solidão é comprimida pelo desespero

Morre-se sozinho quando se tem um amor ou não se tem. Quando se tem saudade de um amor, de dois, de três, ou dessa saudade já não guardamos mais lembrança (que é quando o amor morre de vez). Morre-se sozinho na lucidez ou na demência (talvez um pouco menos entre os fantasmas da demência). As causas da morte são várias, como descrevem os manuais médicos, ou bem poucas, como sintetizam os atestados de óbitos em que a precisão científica dá lugar à burocracia. Não há certificados para a solidão onipresente.

Os mortos têm múltiplas biografias, mas a solidão da morte é a mesma para todos (o suicida tenta acentuá-la, o que o torna ainda mais patético). É por esse fato tão inescapável quanto a própria morte que se chora. É de nós mesmos que nos apiedamos quando o outro morre — não só porque morreremos, e sim porque também morreremos sós. E, no espetáculo da morte, entramos em agonia, que é simulacro daquela moribunda que já não chora, mas arfa e ronca diante de nós, seres já invisíveis, na sua tentativa de aspirar o ar cada vez mais rarefeito e na certeza de que somente pode aspirar ao vácuo.

É para nos enganarmos sobre essa solidão que homenageamos os mortos recém-morridos. É para nos enganarmos que dizemos também ter morrido uma parte de nós com aquele que se foi. E, durante certo tempo, o visitamos em seu túmulo, e ele nos visita em nossos sonhos. E continuamos a celebrá-lo por contáveis anos, e com ele conversamos a intervalos que vão se espaçando até que

o esquecemos em sua solidão *post mortem*. Em nossa solidão pré-
-morte. Morre-se sozinho, e da solidão dos mortos esquecemos, ou queremos esquecer, porque vivemos sozinhos, em que pesem as evidências em contrário.

Place du Palais Bourbon*

Estou comendo uma madeleine de supermercado. Ainda que fosse uma madeleine caseira, como as que Proust comia, ela não teria efeito sinestésico em mim. E, se isso fosse possível, eu não saberia escrever como Proust. Ele teceria uma linda reflexão, por exemplo, sobre a praça em que moro, usando-a de pista de decolagem para voos vertiginosos como os de Harry Potter em sua vassoura mágica. Sim, estou juntando Proust e Harry Potter, o que é prova de como madeleines, no meu caso, reduzem ainda mais o que é já minúsculo — meu trabalho de escritor. Os bons autores, ou aqueles que se acreditam bons, usam o termo "minha literatura", para denotar uma particularidade inerente a suas obras. Eu não ouso. Alguém que faz uma associação livre entre Proust e Harry Potter não pode falar em "minha literatura". No máximo, pode culpar Proust por ter aberto a porta para que outros como eu pudessem fazer associações livres.

Madeleine de supermercado, Proust. A praça em que moro fica em Paris. Passo horas entrevendo-a através de uma das janelas da sala. Mas ela não me inspira nenhum sentimento. E, no entanto, é uma bela praça, em endereço elegante, com nome nobre: Place

---

* Este artigo foi publicado originalmente na revista libanesa *Portal 9*, na primavera de 2013.

du Palais Bourbon. Fica em frente à verdadeira entrada da Assembleia Nacional francesa, cuja falsa entrada dá sobre outra praça, a da Concorde. Aqui do lado existe uma terceira. Tão grande que é uma esplanada, a dos Invalides, em cujo edifício majestoso repousa a tumba de Napoleão Bonaparte, meu vizinho mais ilustre, acho eu. Há também a praça da Igreja de Santa Clotilde, perto da minha agência bancária. O portão de ferro da igreja serve como gol para os meninos que jogam futebol no final da tarde — e, invariavelmente, há uma bola presa entre as esculturas góticas tardias que enfeitam os arcos da entrada. Um dia, quando atravessava a praça, um menino me chamou: "Senhor, venha ver, venha ver!" Era um pato morto dentro de um saco plástico. O menino ficou esperando minha reação, mas eu só consegui dizer "que pena". Eu não senti pena.

Como vim parar aqui, se não sou francês? Como vim parar aqui, se não sou um entusiasta de Paris, embora reconheça suas qualidades de mulher pela qual não se é apaixonado? (Só para os franceses, Paris é uma cidade no masculino, "Le Vieux Paris".) Como vim parar aqui, se não fui anexado como o corso Napoleão Bonaparte? Sou um exilado. Limito-me a dizer que tive de sair do meu país natal por defender a lei no cumprimento do meu ofício. O dado irônico é que na praça em que moro há uma estátua chamada "A Lei". É mais visível da janela do quarto. Quando acordo e abro a janela, dou de cara com a Lei.

Assim como madeleines jamais me transformariam em um Proust, o exílio não faz de mim um herói. Sou um homem e sua circunstância — frase que, no mais das vezes, define um idiota. Mas não me sinto um idiota. Não sinto nada. É bom não sentir nada. É bom não sentir nada a respeito de si próprio. E não tenho ninguém a meu lado que possa ter uma opinião a meu respeito. É bom não ter ninguém ao lado que emita opiniões sobre você.

Meu exílio é solitário como o último sanduíche de presunto ou atum que corro a comprar antes que a loja da rue de Bourgogne feche e eu fique sem jantar. Não julgue minhas linhas autocomplacentes, como o editor da revista libanesa que encomendou este — conto, ensaio, autografia? Elas só expressam o meu cotidiano. Os sanduíches são bons, e eu poderia ser mais organizado e fazer compras suficientes para não ter de sair correndo em busca da refeição noturna.

A Place du Palais Bourbon ajuda a que eu não sinta nada. Nela, não há crianças, não há fontes, não há árvores, não há bancos, não há namorados, não há bancas de jornal, não há vendedores de crepes, cachorros-quentes ou badulaques turísticos. É uma praça de pedra, cercada por edifícios que datam do final do século XVIII e de meados do século XIX, dominada pela estátua "A Lei" e por uma bandeira da França em cima do pórtico da assembleia. Um pórtico com um relógio que, à noite, exibe um mostrador verde--limão. Às vezes, sinto algo, admito — que sou um estranho como o verde-limão do relógio. Mas não sei dizer se é um sentimento em relação a mim ou à praça. Talvez sejam dois sentimentos que se fundem. De qualquer forma, eles esvanecem rapidamente, e eu passo a meu presente estado natural: a não sentir nada.

Eu diria que a Place du Palais Bourbon é uma cenografia da origem disso a que chamamos praça. Minha tese literária é que as praças nasceram como simulação urbana das grandes clareiras que proporcionavam a nossos ancestrais pré-históricos a sensação de amplidão. Era perigoso sair ao aberto de uma clareira, animais predadores e inimigos de tribos rivais sempre à espreita, mas o impulso devia ser irresistível. Finalmente, o céu. Finalmente, o horizonte infinito. Há um bom pedaço de céu sobre a Place du Palais Bourbon. A lua quase sempre permanece enquadrada na janela da sala próxima à mesa em que trabalho. Não sinto nada em relação à lua. Ela não evoca reminiscências, amores ou curiosidade sobre a origem do universo. A lua da Place du Palais Bourbon é só um ponto branco, ora maior, ora menor, nas noites límpidas. A lua da Place du Palais Bourbon é um rochedo morto que projeta sua luz morta sobre pedras mortas.

De simulações de clareiras, as praças passaram a ser cenários em que o céu e o horizonte só ampliavam o infinito de nossas crenças arrogantes, de nossas ideias boçais. Na Atenas antiga, as praças serviam à filosofia que elevou o homem a uma transcendência inexistente e à democracia dos poucos iguais. Na Roma dos césares, as praças serviam ao circo feroz proporcionado pelos poucos iguais ao restolho humano. Na Idade Média, as praças eram palco de autos de fé. Boa parte das praças ainda são extensões de igrejas. A mais monumental delas, a de San Pietro, em Roma, foi idealizada por Lorenzo Bernini, para que todos nós nos sentíssemos pequenos diante da Igreja Católica — e reverentes ao poder divino, representado por ela. Em San Pietro, eu me senti alegremente pequeno quando a conheci. Depois, comecei a não sentir nada quando ultrapasso o jogo barroco das colunas de Bernini e adentro o espaço projetado por ele.

Há também praças em que predominam símbolos do poder temporal. A praça della Signoria, em Florença, com seu Palazzo Vecchio, é uma das mais célebres. A primeira imagem que me vem à cabeça é a de uma noite chuvosa em que eu, acompanhado já não me recordo de quem, estava indisposto para apreciar a sua arquitetura magnífica. Um enjoo permanente, quase quimioterápico, tomara conta de mim na enésima visita à sala de visitas dos florentinos (aí está outra função das praças italianas). Anos depois, não muitos, estive em outra praça do poder temporal: a Tiananmen, em Pequim, na qual sobressai a fotografia de Mao Tsé-Tung pendurada na muralha do antigo palácio imperial. Lá, a imagem da Lei é o rosto redondo de Mao. Quando visitei a praça Tiananmen, fiquei perturbado com a quantidade de gente andando ao redor da bandeira chinesa no centro daquela imensidão desprovida de arquitetura. Não fiquei triste porque o regime havia matado lá um grupo de estudantes, vinte anos antes. É difícil entristecer-se diante da fotografia de Mao. Em Tiananmen, só senti o ridículo da ideologia que mata a tristeza, mata a alegria, mata a clareira.

Pela televisão e pelos jornais, acompanhei a multidão que ocupou a Praça Tahrir, no Cairo, para exigir o fim da ditadura egípcia. Assim como em Pequim, as grandes praças se transformaram em lugares de demonstração popular. Eu não sinto nada em relação a demonstrações populares. Minto. Sinto medo. A massa como um organismo único, dotado de vontade própria, é um monstro e, como tal, me assusta. Jamais irei à praça Tahrir. Pela televisão e pelos jornais, sua primavera pareceu-me um verão violento e nada mais.

Eu não tenho muito mais a dizer sobre praças, porque não tenho muito mais a dizer sobre mim ou sobre o mundo. O editor libanês não gostou de eu não ter muito mais a dizer sobre praças. Esse era o tema do número para a qual fui convidado a escrever. Ele até toleraria o que julgou ser autocomplacência, mas queria um sabor nacional em troca. Errou de cozinheiro. Sou sensaborão feito uma madeleine de supermercado. Queria também que eu discorresse sobre o meu exílio. Eu disse não. Assim, meu esboço — de conto, ensaio, autografia? — foi rejeitado. Eu não tenho problemas com rejeição.

Na falta do que fazer, agora que cai a noite na Place du Palais Bourbon, e com a liberdade de ter sido recusado, decidi arrematar esta encomenda. Sabor nacional: as praças do meu país não passam de buracos mais feios do que o horror circundante. São povoadas de mendigos, traficantes, drogados, ladrões, prostitutas. Fedem a urina. Fim do sabor nacional. Sobre a minha relação com praças de verdade, não tenho a paixão antropológica que me permitiria apreciar aquelas que parecem simular tão somente clareiras, como a dos museus em Amsterdã. As ruínas de Grécia e Roma deixaram de me emocionar, porque nelas só vejo a semente de nossa arrogância. Não acredito no Deus católico e, por isso, as grandes praças a ele dedicadas não me sensibilizam com a sua arquitetura que diminui o homem não à sua exata proporção, mas o reduz ainda mais a fim de engrandecer um ser sobrenatural que nós próprios criamos à nossa imagem e semelhança. Nas praças de Deus, ficamos menores porque nos vemos maiores do que somos, eis o paradoxo. Sou tão indiferente ao poder que já não desfruto histórica e esteticamente das praças construídas em homenagem a governantes. Temo a massa e, assim, fujo das que servem como palco para suas demonstrações, por mais justas que possam parecer.

O que me restou foi a Place du Palais Bourbon. Mas a sua beleza pétrea é desgastada continuamente pelos automóveis que a volteiam. No fundo, ela não passa de uma rotatória, em cujo centro está a estátua da Lei. Talvez eu devesse fechar as cortinas para nunca mais olhar a Place du Palais Bourbon. Talvez eu devesse procurar uma praça dentro de mim. Uma praça em que um menino brincava, e imaginava figuras desenhadas no céu vespertino, e projetava o futuro, e conversava com amigos. Um lugar tão comum quanto um lugar-comum. Mas eu teria de criar do nada esse menino. Eu teria de erigir do nada essa praça interior. Não posso, não ouso. Não sinto nada a meu respeito. O nada tem gosto de madeleines de supermercado. É bom poder comprar madeleines de supermercado.

Este livro foi composto na tipologia Minion Pro,
em corpo 12/16,5, e impresso em papel off-white,
no Sistema Cameron da Divisão Gráfica
da Distribuidora Record.